초등 수학 핵심파트 집중 완성

교과특강

초2

B3

표와 그래프

에듀히어로
Edu HERO

"진짜 히어로는 우리 아이들입니다!"

에듀히어로는
우리 아이들이 밝고 건강한 내일을 꿈꿀 수 있도록
긍정적이고 효과적인 교육 서비스를 제공하는 것을
최우선 목표로 하고 있습니다.

그 존재만으로도 든든한 히어로처럼 아이들의 곁에서 힘이 되어주고,
나아가 아이들 각자가 스스로의 인생 속 히어로가 될 수 있도록

우리는 진심과 열정을 다해 아이들과 함께 할 것을 약속 드립니다.

네이버 카페

교재 상세 소개와 진단 테스트
및 유용하게 풀 수 있는
학습 자료를 다운로드 해 보세요.

인스타그램

에듀히어로 인스타그램을
팔로우하시면 다양한 이벤트와
신간 소식을 빠르게 만나보실
수 있습니다.

카카오톡 채널

자녀 수학 공부 상담 및
자유로운 질문을 남겨 주세요.
함께 고민하고
답변해 드리겠습니다.

히어로컨텐츠 HEROCONTENS

발행일: 2022년 12월 **발행인:** 이예찬
기획개발: 두줄수학연구소
디자인: 4BD STUDIO **삽화:** 1000DAY
발행처: 히어로컨텐츠

주소: 서울특별시 금천구 서부샛길 632, 7층(대륭테크노타운5차)
전화: 02-862-2220 **팩스:** 02-862-2227
지원카페: cafe.naver.com/eduherocafe **인스타그램:** @edu__hero **카카오톡:** 에듀히어로

초등 수학 핵심파트 집중 완성 교과특강

수학을 잘 하기 위해서는 1) 수와 연산 2) 도형 3) 측정 4) 규칙성 5) 자료와 가능성 등 초등 수학 5대 학습 영역을 고르게 학습해야 합니다.

다른 교과 과목에 비해 많은 시간을 수학을 학습하는 데 할애하고 있지만 아쉽게도 대부분은 연산 영역에 편중되어 있습니다.

최근 들어 '도형' 등 연산 이외의 다른 영역으로 학습을 확장하는 교재들이 출간되고 있지만 여전히 학년별로 다양한 학습 영역과 필수 주제를 체계적으로 안내해 주는 학습지는 많지 않은 것이 현실입니다.

그런 이유로 교과특강은 학년별 필수 주제를 기본 개념부터 응용, 사고력까지 충분하게 학습하고 훈련할 수 있도록 개발되었습니다

수학을 잘 하고 싶은 학생들에게 노력한 만큼의 성장을 이루어내는 데 교과특강은 좋은 토양과 밑거름이 되어줄 것입니다.

초등 수학 핵심파트 집중 완성 교과특강은

1. '자료 해석 능력'을 집중적으로 키웁니다.

앞으로의 학습은 주어진 표와 그래프를 보고 그 의미를 해석하고 추론하는 '자료 해석 능력'을 요구합니다. 실제로 초등 전학년 뿐만 아니라 중등 과정에서도 '자료 해석'은 학습자의 문제해결력을 확인하는 중요한 소재가 되고 있습니다. 다양한 표와 그래프를 이해하고 해석하는 학습은 초등 과정부터 미리 준비하고 집중적으로 훈련할 필요가 있습니다.

2. '측정', '규칙성' 등 필수 영역임에도 쉽게 지나칠 수 있는 주제를 체계적으로 학습합니다.

길이, 무게, 시간, 어림하기 등 초등 과정에서 쉽게 지나치기 쉬운 '측정'과 추론 능력을 길러주는 '규칙성'을 집중적으로 학습합니다.

3. 복습과 예습으로 학년과 학년 사이의 징검다리 역할을 합니다.

1학년에서 2학년, 2학년에서 3학년, 3학년에서 4학년 등 학년이 올라갈수록 특정 영역에서 수학이 갑자기 어려워지는 순간이 옵니다. 교과특강은 각 학년에서 반드시 짚고 넘어가야 하는 주제를 복습하면서 다음 학년을 위한 예습까지 할 수 있도록 개발되었습니다.

4. 문제해결력과 사고력을 길러줍니다.

기본적인 개념을 바탕으로 이를 응용하고 활용하는 문제해결력과 생각하는 힘을 길러줍니다.

초등 수학 핵심파트 집중 완성 **교과특강**은

7세부터 6학년까지 총 7단계 21권(단계별 3권)으로 구성되어 있으며 각 권은 하루에 1장씩 주 5회, 총 4주간 체계적으로 학습할 수 있습니다.

매주 5일차의 학습이 끝난 뒤엔 '생각더하기'를 통해 창의력과 사고력을 기르고, 4주의 학습이 끝난 뒤엔 '링크'와 '형성평가'로 관련 주제를 학습하고 교과 수학을 완성할 수 있습니다.

대 상	단 계	구 성
7세 ~ 1학년	P	P1, P2, P3
1학년	A	A1, A2, A3
2학년	B	B1, B2, B3
3학년	C	C1, C2, C3
4학년	D	D1, D2, D3
5학년	E	E1, E2, E3
6학년	F	F1, F2, F3

<교과 수학 시리즈 B단계 로드맵>

에듀히어로의 교과 수학 시리즈를 체계적으로 학습하기 위한 로드맵입니다.

예습을 하며 집중적으로 학습하려면 '영역별 집중 학습'을,

교과서 진도에 맞추어 학습하려면 '교과 진도 맞춤 학습'을 권장드립니다.

[영역별 집중 학습]

1월	2월	3월	4월	5월	6월
교과연산 B0, 교과도형 B1	교과연산 B1, 교과도형 B2	교과연산 B2, 교과도형 B3	교과연산 B3, 교과특강 B1	교과특강 B2	교과특강 B3

[교과 진도 맞춤 학습]

1월	2월	3월	4월	5월	6월	7월	8월	9월	10월
교과연산 B0	교과도형 B1	교과도형 B2	교과연산 B1	교과연산 B2	교과도형 B3	교과연산 B3	교과특강 B1	교과특강 B2	교과특강 B3

교과특강은 교과 수학을 완성합니다.

주제별 학습

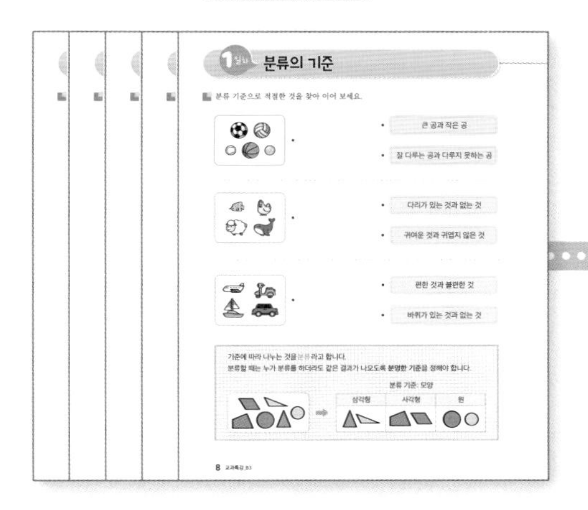

생각더하기

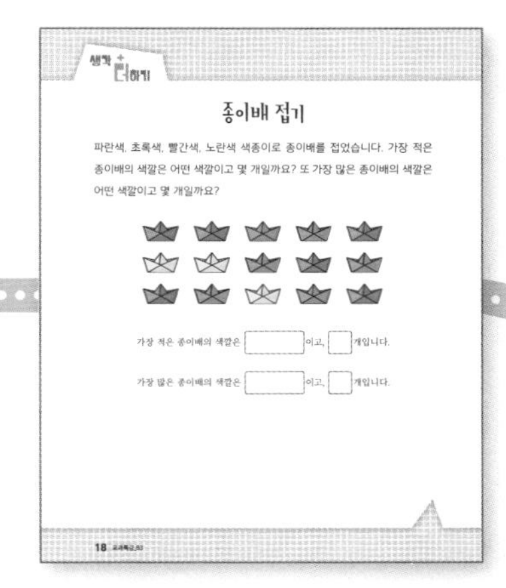

초등 수학을 주제별로 집중 학습합니다. 각 주차의 마지막에 있는 **생각더하기**로 문제해결력을 기릅니다.

링크

주제별 학습과 연결하여 사고력과 창의력을 향상시킬 수 있는 내용을 학습합니다.

형성평가

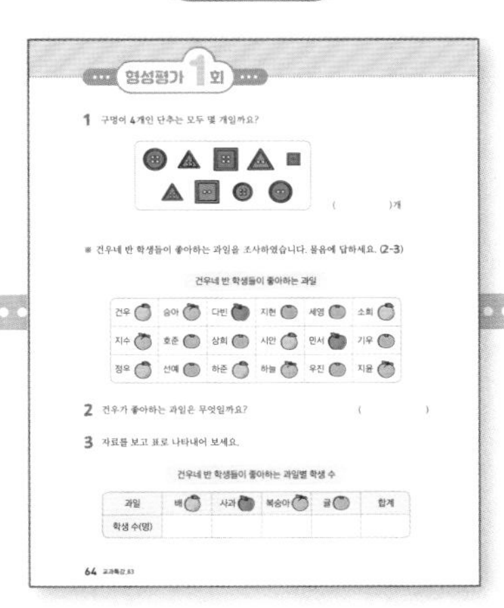

2회의 형성평가로 배운 내용을 잘 알고 있는지 확인합니다.

이 책의 차례

1 주차

자료 분류

1일차 분류의 기준

분류 기준으로 적절한 것을 찾아 이어 보세요.

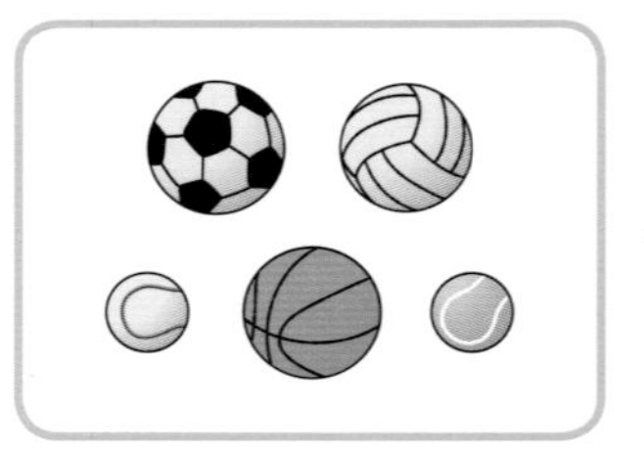

- 큰 공과 작은 공
- 잘 다루는 공과 다루지 못하는 공

- 다리가 있는 것과 없는 것
- 귀여운 것과 귀엽지 않은 것

- 편한 것과 불편한 것
- 바퀴가 있는 것과 없는 것

기준에 따라 나누는 것을 분류라고 합니다.
분류할 때는 누가 분류를 하더라도 같은 결과가 나오도록 **분명한 기준**을 정해야 합니다.

분류 기준: 모양

삼각형	사각형	원

월 일

분류 기준으로 알맞은 것을 모두 찾아 ◯표 하세요.

초코 맛과 딸기 맛 ( )

맛있는 것과 맛없는 것 ( )

컵에 담긴 것과 콘에 담긴 것 ( )

좋아하는 것과 좋아하지 않는 것 ( )

날 수 있는 것과 날 수 없는 것 ( )

뿔이 있는 것과 없는 것 ( )

무늬가 있는 것과 없는 것 ( )

손잡이가 있는 것과 없는 것 ( )

예쁜 것과 예쁘지 않은 것 ( )

2일차 분류하기

기준에 따라 분류해 보세요.

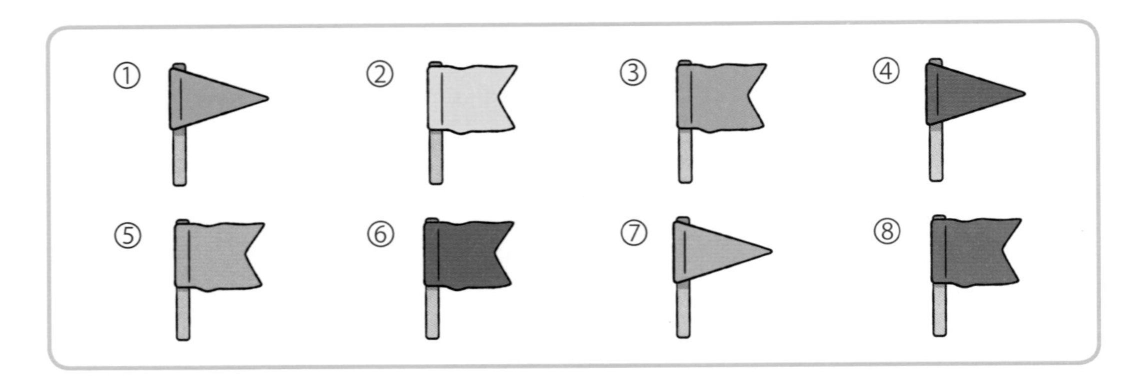

분류 기준

모양

①	②	③	④

⑤	⑥	⑦	⑧

분류 기준

다리 수

다리가 없음	
다리가 2개	
다리가 4개	

분류 기준을 보고 조각을 분류해 보세요.

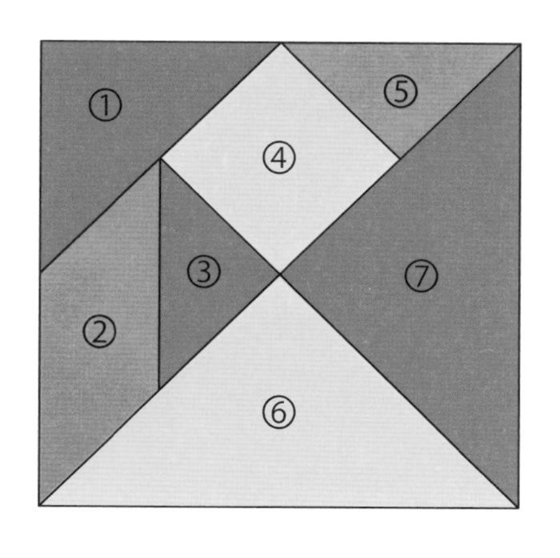

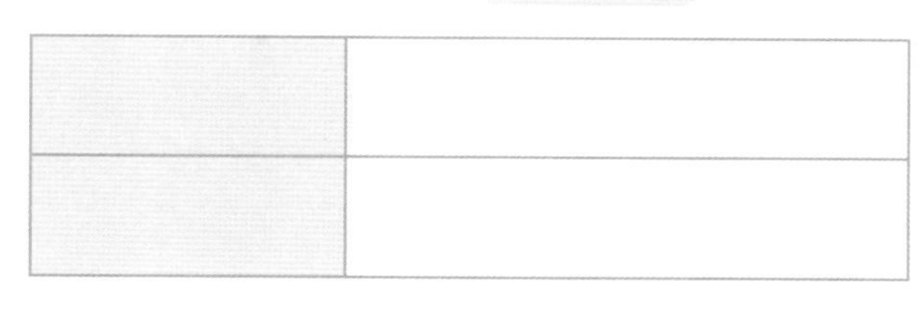

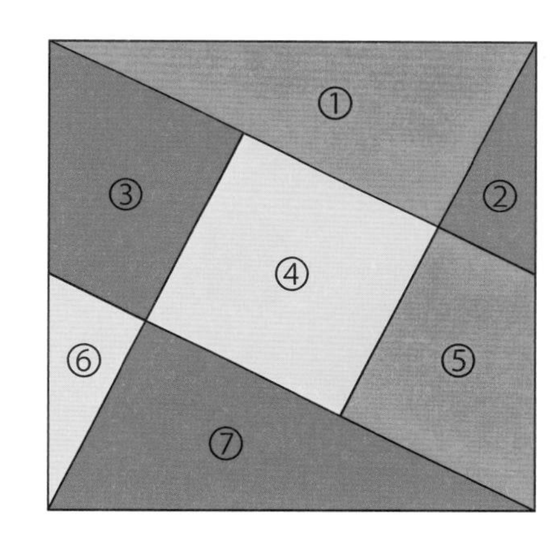

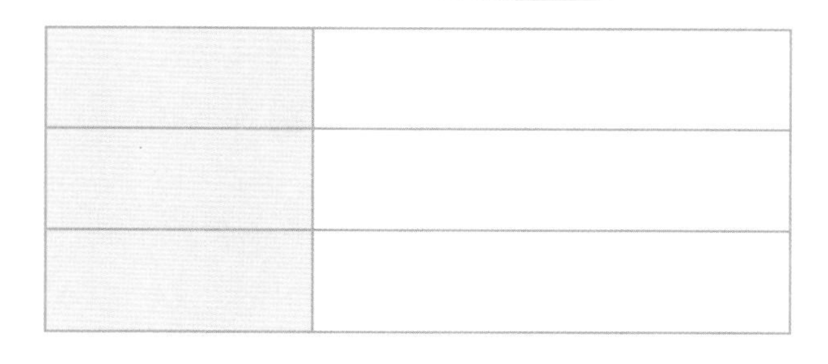

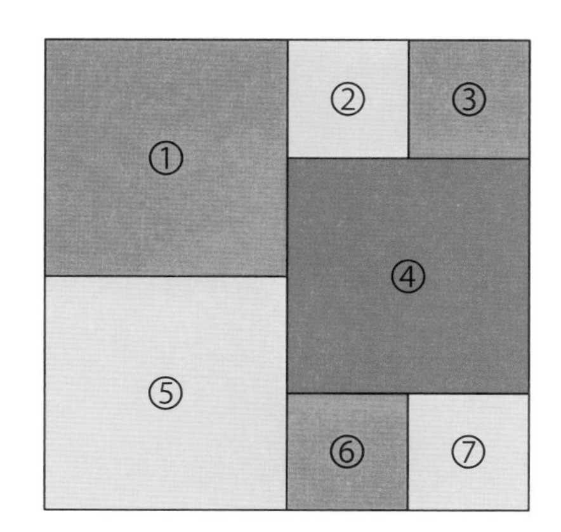

분류 기준 크기

3일차 기준 찾기

어떤 기준에 따라 분류했습니다. 분류 기준을 써 보세요.

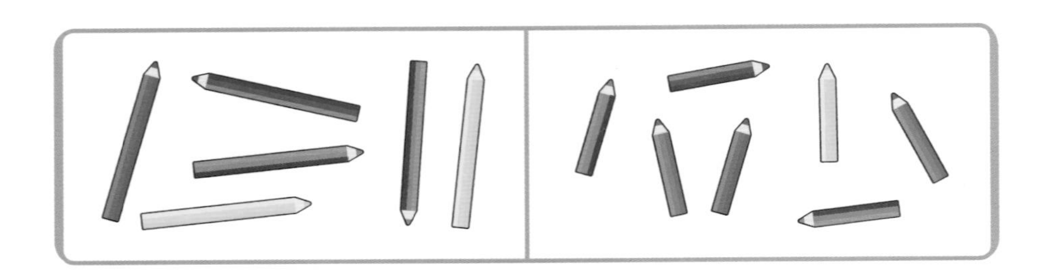

분류 기준

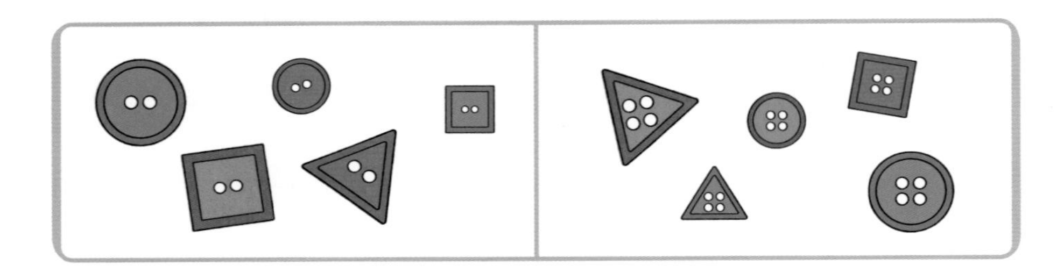

분류 기준

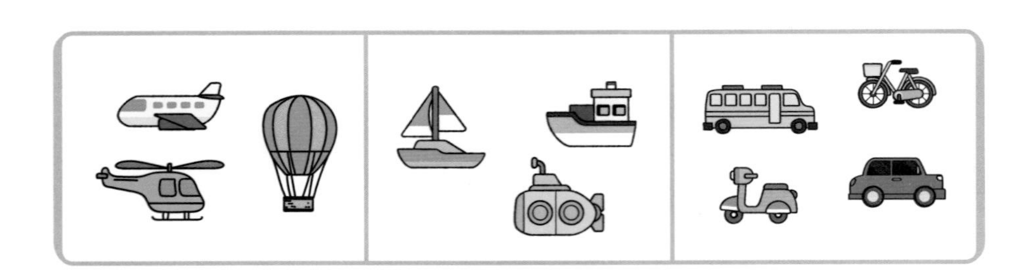

분류 기준

기준을 정하여 수 카드를 분류해 보세요.

6 2 1 4 3
7 9 8 5

분류 기준

3 12 2 10 1
19 11 8 5 16

분류 기준

4일차 분류하여 세기

동물과 공을 분류하고 그 수를 세어 보세요.

동물	(말)	(코끼리)	(사슴)	(기린)
세면서 표시하기	////			
동물 수(마리)	5			

자료를 빠뜨리지 않고 세기 위해
센 것에는 /, ○ 등의 표시를 합니다.

공	(축구공)	(배구공)	(농구공)	(야구공)
세면서 표시하기				
공의 수(개)				

월 일

여러 가지 조각으로 모양을 만들었습니다. 조각을 분류하고 그 수를 세어 보세요.

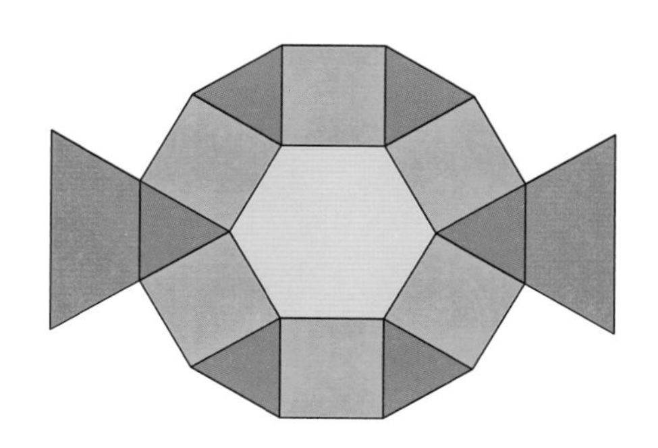

조각	■	▲	⬡	⏢
세면서 표시하기	卌 /			
조각 수(개)	6			

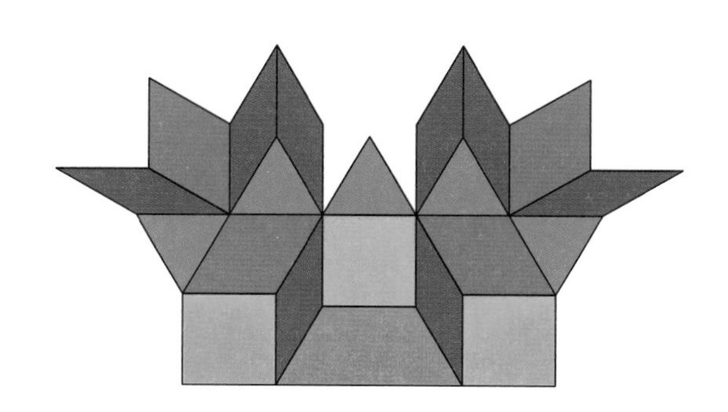

조각	⏢	◆	■	▲	◆
세면서 표시하기					
조각 수(개)					

5일차 여러 가지 기준

단추를 색깔, 모양, 구멍 수에 따라 각각 분류하고 그 수를 세어 보세요.

색깔

색깔	파란색	노란색	빨간색
단추 수(개)			

모양

모양	원	삼각형	사각형
단추 수(개)			

구멍 수

구멍 수	2개	4개
단추 수(개)		

수 카드를 십의 자리 숫자와 일의 자리 숫자에 따라 각각 분류하고 그 수를 세어 보세요.

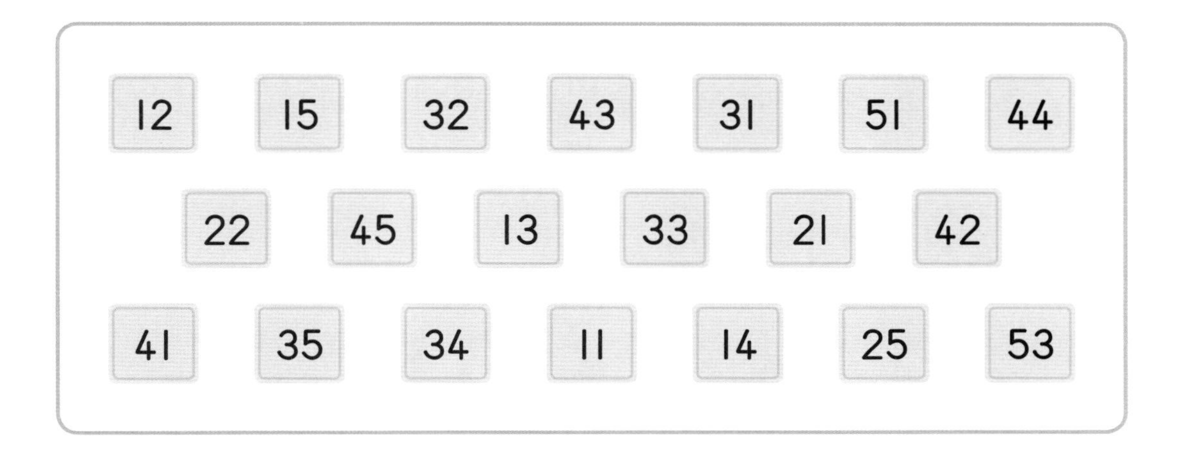

십의 자리 숫자

십의 자리 숫자	1	2	3	4	5
카드 수(장)					

일의 자리 숫자

일의 자리 숫자	1	2	3	4	5
카드 수(장)					

종이배 접기

파란색, 초록색, 빨간색, 노란색 색종이로 종이배를 접었습니다. 가장 적은 종이배의 색깔은 어떤 색깔이고 몇 개일까요? 또 가장 많은 종이배의 색깔은 어떤 색깔이고 몇 개일까요?

가장 적은 종이배의 색깔은 [ ]이고, [ ]개입니다.

가장 많은 종이배의 색깔은 [ ]이고, [ ]개입니다.

2 주차

표

자료 보기

연아네 반 학생들이 좋아하는 과일을 조사하였습니다. 빈칸에 알맞은 말 또는 수를 써넣으세요.

연아네 반 학생들이 좋아하는 과일

연아	승우	다빈	지현	세영	소희
지수	호준	상희	시안	민서	기우
정우	선예	하준	하늘	우진	지윤

: 사과

: 귤

: 감

: 포도

연아가 좋아하는 과일은 ☐ 입니다.

승우가 좋아하는 과일은 ☐ 입니다.

포도를 좋아하는 학생은 ☐, ☐, ☐ 입니다.

감을 좋아하는 학생은 ☐, ☐, ☐, ☐ 입니다.

조사한 학생은 모두 ☐ 명입니다.

진호네 반 학생들이 좋아하는 색깔을 조사하였습니다. 빈칸에 알맞은 말 또는 수를 써넣으세요.

진호가 좋아하는 색깔은 [   ]입니다.

조사한 학생은 모두 [   ]명입니다.

조사한 학생들이 좋아하는 색깔은 모두 [   ]가지입니다.

초록색을 좋아하는 학생은 모두 [   ]명입니다.

파란색을 좋아하는 학생은 모두 [   ]명입니다.

2일차 표로 나타내기 (1)

서윤이네 반 학생들이 좋아하는 계절을 조사하였습니다. 조사한 자료를 보고 표로 나타내어 보세요.

서윤이네 반 학생들이 좋아하는 계절

서윤	지유	현우	지오	진서	은수
도현	지율	하람	태하	민준	연우
예리	소희	주은	치우	선호	수빈
도훈	희주	시윤	민아	수지	동진

서윤이네 반 학생들이 좋아하는 계절별 학생 수

계절	봄	여름	가을	겨울	합계
학생 수(명)	5				

자료를 표로 나타낼 때는 /, ○ 등의 표시를 하여 빠뜨리지 않고 센 다음, 수를 적습니다.

위와 같이 계절을 모두 늘어놓은 것은 자료, 자료를 분류하여 계절별로 좋아하는 학생 수를 나타낸 것은 표입니다.
자료로 나타내면 누가 어떤 계절을 좋아하는지 알 수 있습니다.
표로 나타내면 계절별로 좋아하는 학생 수를 한눈에 볼 수 있고, 합계가 있으므로 전체 학생 수를 쉽게 알 수 있습니다.

월 일

준성이는 7월 한 달 동안의 날씨를 조사하였습니다. 조사한 자료를 보고 표로 나타내어 보세요.

7월의 날씨

일	월	화	수	목	금	토
	1	2	3	4	5	6
7	8	9	10	11	12	13
14	15	16	17	18	19	20
21	22	23	24	25	26	27
28	29	30	31			

7월의 날씨별 날 수

날씨	맑음	흐림	비 옴	합계
날 수(일)				

3일차 표로 나타내기 (2)

표로 나타내어 보세요.

저금통에 들어 있는 동전

동전 수

동전	500	100	50	10	합계
동전 수(개)					

현우네 동네에 있는 가게

카페 편의점 카페 편의점 빵집 편의점 편의점 꽃집

편의점 빵집 카페 약국 편의점 카페 약국 빵집

가게 수

가게	카페	편의점	빵집	꽃집	약국	합계
가게 수(곳)						

표로 나타내어 보세요.

주사위를 굴려 나온 눈

눈의 횟수

눈	⚀	⚁	⚂	⚃	⚄	⚅	합계
횟수(번)							

주사위 2개를 동시에 굴려 나온 눈

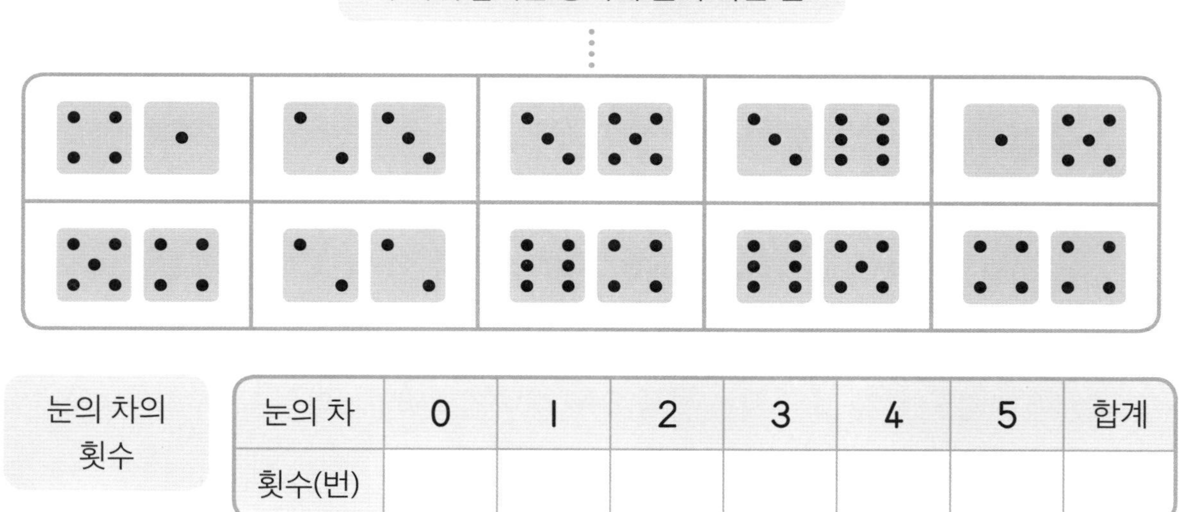

눈의 차의 횟수

눈의 차	0	1	2	3	4	5	합계
횟수(번)							

4일차 표 살펴보기

■ 표를 보고 올바른 말에 ◯표, 틀린 말에 ╳표 하세요.

원우네 반 학생들이 배우고 싶은 악기별 학생 수

악기	바이올린	피아노	기타	플룻	합계
학생 수(명)	6	10	7	2	25

기타를 배우고 싶은 학생은 7명입니다. ( )

가장 많은 학생이 배우고 싶은 악기는 피아노입니다. ( )

조사한 학생은 모두 50명입니다. ( )

도영이네 반 학생들이 가 보고 싶은 궁궐별 학생 수

궁궐	경복궁	경희궁	덕수궁	창덕궁	창경궁	합계
학생 수(명)	8	2	9	5	4	28

가장 적은 학생이 가 보고 싶은 궁궐은 창경궁입니다. ( )

창덕궁과 창경궁에 가 보고 싶은 학생 수를 더하면 9명입니다. ( )

가 보고 싶은 궁궐은 경복궁이 덕수궁보다 1명 더 많습니다. ( )

월 일

표를 보고 빈칸에 알맞은 수 또는 말을 써넣으세요.

재원이가 한 달 동안 읽은 종류별 책 수

종류	동화책	만화책	위인전	과학 잡지	합계
책 수(권)	4	9	3	7	23

과학 잡지는 ☐ 권 읽었습니다.

가장 많이 읽은 책의 종류는 ☐ 입니다.

한 달 동안 읽은 책은 모두 ☐ 권입니다.

현진이네 반 학생들이 좋아하는 운동별 학생 수

운동	태권도	배드민턴	축구	수영	야구	합계
학생 수(명)	8	5	8	2	3	26

배드민턴과 수영을 좋아하는 학생 수를 더하면 ☐ 명입니다.

축구를 좋아하는 학생은 야구를 좋아하는 학생보다 ☐ 명 더 많습니다.

좋아하는 학생 수가 같은 운동은 ☐ 와 ☐ 입니다.

5일차 표의 내용

나리네 모둠 학생들이 일주일 동안 읽은 책 수를 조사한 표입니다. 물음에 답하세요.

나리네 모둠 학생들이 일주일 동안 읽은 책 수

이름	나리	지운	시현	태진	은기	합계
책 수(권)	8	15	4	9	6	42

나리는 책을 몇 권 읽었나요? ( )권

책을 가장 많이 읽은 학생은 누구인가요? ( )

책을 가장 적게 읽은 학생은 누구인가요? ( )

조사한 학생들이 읽은 책은 모두 몇 권인가요? ( )권

시은이네 동네에 있는 종류별 병원 수를 조사한 표입니다. 물음에 답하세요.

시은이네 동네에 있는 종류별 병원 수

종류	내과	안과	치과	소아과	한의원	피부과	합계
병원 수(곳)	6	3	5	2	2	1	19

안과와 치과의 수를 더하면 몇 곳인가요?

( )곳

내과는 소아과보다 몇 곳 더 많은가요?

( )곳

가장 적은 병원은 무엇이고, 몇 곳 있나요?

( ), ( )곳

둘째로 많은 병원은 무엇이고, 몇 곳 있나요?

( ), ( )곳

가위바위보 1

용하와 연주가 서로 가위바위보를 10번 했습니다. 다음은 용하의 가위바위보 결과이고, 용하가 이기면 ○표, 지면 ╳표, 비기면 △표 했습니다. 자료를 보고 표로 나타내어 보세요.

용하의 가위바위보 결과

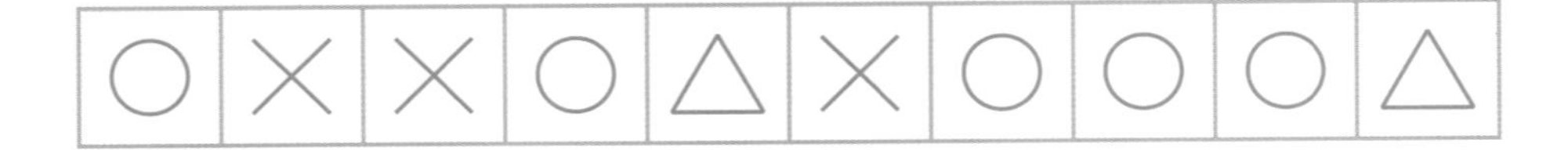

용하의 가위바위보 결과별 횟수

결과	이김	짐	비김	합계
횟수(번)				

연주의 가위바위보 결과별 횟수

결과	이김	짐	비김	합계
횟수(번)				

3 주차

그래프

1일차 자료, 표, 그래프

자료를 보고 표로 나타내어 보세요.

경호네 반 학생들이 가 보고 싶은 나라

경호	주원	주은	동우	지유
준서	예지	지율	재하	은민
연수	성진	민호	지승	대한
다운	수빈	원재	선아	민성

경호네 반 학생들이 가 보고 싶은 나라별 학생 수

나라	캐나다	독일	태국	그리스	합계
학생 수(명)					

자료를 점, 선, 막대, 그림 등으로 나타낸 것을 그래프라고 합니다.
자료는 **한 사람**이 가 보고 싶은 나라를 알 수 있고, 표는 가 보고 싶은 나라별 **학생 수**를 쉽게 알 수 있습니다. 그리고 그래프는 **가장 많거나 적은** 학생이 가 보고 싶은 나라를 한눈에 알아볼 수 있습니다.
그래프는 가로와 세로에 어떤 내용을 넣느냐에 따라 모양이 달라지므로 가로와 세로를 잘 살펴보아야 합니다.

왼쪽 자료와 표를 보고 ◯를 이용하여 두 가지 그래프로 나타내어 보세요.

경호네 반 학생들이 가 보고 싶은 나라별 학생 수

8				
7				
6				
5				
4	◯			
3	◯			
2	◯			
1	◯			
학생 수(명) / 나라	캐나다	독일	태국	그리스

경호네 반 학생들이 가 보고 싶은 나라별 학생 수

캐나다	◯	◯	◯	◯				
독일								
태국								
그리스								
나라 / 학생 수(명)	1	2	3	4	5	6	7	8

2일차 그래프로 나타내기 (1)

희우네 반 학생들이 좋아하는 아이스크림 맛을 조사하였습니다. 자료를 보고 /를 이용하여 그래프로 나타내어 보세요.

희우네 반 학생들이 좋아하는 아이스크림 맛

희우	하영	소리	민재	은준	현우	수찬
주연	유민	은호	지운	재성	보리	현지
성아	동준	유석	태선	종우	진원	태웅

희우네 반 학생들이 좋아하는 아이스크림 맛별 학생 수

7				
6	/			
5	/			
4	/			
3	/			
2	/			
1	/			
학생 수(명) / 아이스크림 맛	초코	딸기	녹차	포도

월 일

재아네 반 학생들이 태어난 계절을 조사하였습니다. 자료를 보고 ◯를 이용하여 그래프로 나타내어 보세요.

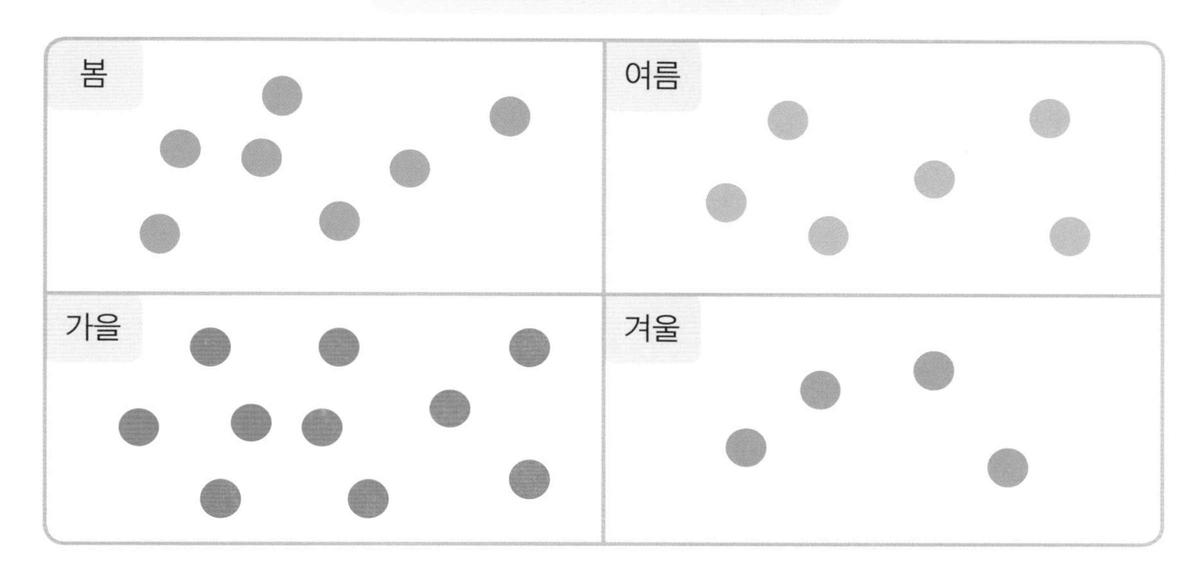

재아네 반 학생들이 태어난 계절별 학생 수

봄										
여름										
가을										
겨울										
계절 / 학생 수(명)	1	2	3	4	5	6	7	8	9	10

3일차 그래프로 나타내기 (2)

표를 보고 △를 이용하여 그래프로 나타내어 보세요.

진희네 반 학생들이 좋아하는 꽃별 학생 수

꽃	해바라기	코스모스	장미	민들레	합계
학생 수(명)	7	1	6	3	17

진희네 반 학생들이 좋아하는 꽃별 학생 수

7				
6				
5				
4				
3				
2				
1				
학생 수(명) / 꽃	해바라기	코스모스	장미	민들레

저금통에 들어 있는 종류별 동전 수

종류	10원	50원	100원	500원	합계
동전 수(개)	8	7	10	5	30

저금통에 들어 있는 종류별 동전 수

10원										
50원										
100원										
500원										
종류 / 동전 수(개)	1	2	3	4	5	6	7	8	9	10

표를 보고 그래프의 가로를 채우고 ╳를 이용하여 그래프로 나타내어 보세요.

2학년 1반의 요일별 수업 시간

요일	월	화	수	목	금	합계
수업 시간(시간)	4	5	5	5	4	23

2학년 1반의 요일별 수업 시간

5					
4					
3					
2					
1					
수업 시간(시간) / 요일					

분식집에서 하루 동안 팔린 종류별 음식 수

종류	김밥	떡볶이	튀김	라면	어묵	합계
음식 수(인분)	8	10	6	3	7	34

분식집에서 하루 동안 팔린 종류별 음식 수

김밥										
떡볶이										
튀김										
라면										
어묵										
종류 / 음식 수(인분)										

4일차 그래프 살펴보기

그래프를 보고 올바른 말에 ○표, 틀린 말에 ×표 하세요.

12월 한 달 동안 날씨별 날 수

맑음	/	/	/	/	/	/	/	/	/	/	/	/
흐림	/	/	/	/	/	/	/	/	/	/	/	
비 옴	/	/										
눈 옴	/	/	/	/	/	/						
날씨 / 날 수(일)	1	2	3	4	5	6	7	8	9	10	11	12

맑은 날이 가장 많았습니다. ( )

눈 온 날이 가장 적었습니다. ( )

흐린 날은 모두 11일이었습니다. ( )

12월의 날 수는 31일입니다. ( )

흐린 날은 비 온 날보다 10일 더 많았습니다. ( )

그래프를 보고 빈칸에 알맞은 수 또는 말을 써넣으세요.

지후네 학교 음악실에 있는 종류별 국악기 수

6	○			
5	○			○
4	○			○
3	○		○	○
2	○		○	○
1	○	○	○	○
국악기 수 (개) / 종류	소고	징	단소	장구

단소는 [ ]개 있습니다.

4개보다 많은 국악기는 [ ]와 [ ]입니다.

가장 많은 국악기는 [ ]입니다.

가장 적은 국악기는 [ ]입니다.

가장 많은 국악기는 가장 적은 국악기보다 [ ]개 더 많습니다.

5일차 그래프의 내용

은하네 반 학생들이 좋아하는 간식을 조사하여 나타낸 그래프입니다. 물음에 답하세요.

은하네 반 학생들이 좋아하는 간식별 학생 수

6			○		
5			○		
4			○	○	
3		○	○	○	○
2	○	○	○	○	○
1	○	○	○	○	○
학생 수(명) / 간식	떡볶이	피자	과자	치킨	만두

가장 많은 학생이 좋아하는 간식은 무엇이고, 몇 명이 좋아하나요?

( ), ( )명

가장 적은 학생이 좋아하는 간식은 무엇이고, 몇 명이 좋아하나요?

( ), ( )명

조사한 학생은 모두 몇 명인가요?

( )명

윤기네 반 학생들의 취미를 조사하여 나타낸 그래프입니다. 물음에 답하세요.

윤기네 반 학생들의 취미별 학생 수

종이 접기	/				
그림 그리기	/	/			
독서	/	/	/		
운동	/	/	/	/	
음악 감상	/	/	/	/	/
취미 / 학생 수 (명)	1	2	3	4	5

그림 그리기가 취미인 학생은 몇 명인가요?

(　　　　)명

독서가 취미인 학생은 종이 접기가 취미인 학생보다 몇 명 더 많은가요?

(　　　　)명

학생 수가 3명보다 많은 취미는 무엇과 무엇인가요?

(　　　　), (　　　　)

가위바위보 2

시온이와 세진이가 서로 가위바위보를 10번 했습니다. 다음은 시온이의 가위바위보 결과이고, 시온이가 이기면 ○표, 지면 ×표, 비기면 △표 했습니다. 자료를 보고 그래프로 나타내어 보세요.

시온이의 가위바위보 결과

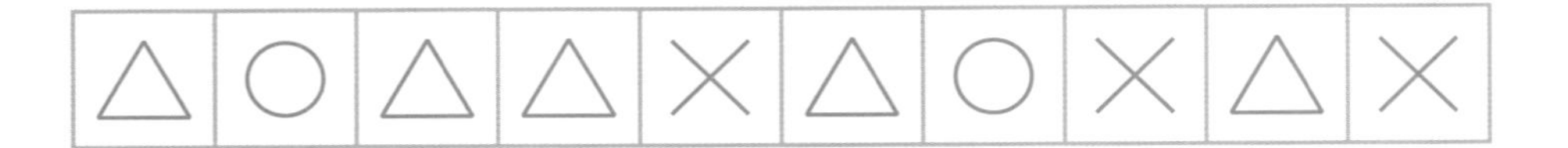

시온이의 가위바위보 결과별 횟수

이김						
짐						
비김						
결과 / 횟수(번)	1	2	3	4	5	6

세진이의 가위바위보 결과별 횟수

이김						
짐						
비김						
결과 / 횟수(번)	1	2	3	4	5	6

4 주차

표와 그래프

1일차 표와 그래프

■ 표와 그래프를 각각 완성해 보세요.

기범이가 가진 색깔별 색종이 수

색깔	파란색	보라색	연두색	노란색	합계
색종이 수(장)	3		1		11

기범이가 가진 색깔별 색종이 수

6				
5				/
4				/
3				/
2		/		/
1		/		/
색종이 수(장) / 색깔	파란색	보라색	연두색	노란색

공원에 있는 종류별 나무 수

종류	소나무	느티나무	은행나무	단풍나무	합계
나무 수(그루)		4		9	29

공원에 있는 종류별 나무 수

소나무	○	○	○	○	○	○	○	○	○	○
느티나무										
은행나무	○	○	○	○	○	○				
단풍나무										
종류 / 나무 수(그루)	1	2	3	4	5	6	7	8	9	10

표와 그래프를 각각 완성해 보세요.

윷놀이 결과별 나온 횟수

결과	도	개	걸	윷	모	합계
횟수(번)		7			1	

윷놀이 결과별 나온 횟수

도	△	△	△				
개							
걸	△	△	△	△	△	△	
윷	△	△					
모							
결과 / 횟수(번)	1	2	3	4	5	6	7

주사위를 굴려 나온 눈의 횟수

눈	⚀	⚁	⚂	⚃	⚄	⚅	합계
횟수(번)	4		5		5		

주사위를 굴려 나온 눈의 횟수

5						
4						×
3		×				×
2		×				×
1		×		×		×
횟수(번) / 눈	⚀	⚁	⚂	⚃	⚄	⚅

2일차 표 완성하기 (1)

용주네 반 학생들을 대상으로 조사한 표입니다. 표를 완성해 보세요.

용주네 반 학생들이 좋아하는 반려동물별 학생 수

반려동물	강아지	고양이	햄스터	토끼	합계
학생 수(명)	9	7	5	2	

용주네 반 학생들이 가 보고 싶은 체험 학습 장소별 학생 수

장소	박물관	과학관	동물원	미술관	합계
학생 수(명)		6	11	3	23

용주네 반 학생들이 좋아하는 채소별 학생 수

채소	오이	당근	시금치	호박	가지	합계
학생 수(명)	4	3	7		1	23

용주네 반 학생들이 가 보고 싶은 도시별 학생 수

도시	서울	부산	여수	속초	충주	합계
학생 수(명)	5		6	4	3	23

물음에 답하세요.

민서의 하루 일과를 조사한 표입니다. 가장 적은 시간을 보내는 일과는 무엇이고, 몇 시간을 보낼까요?

민서의 하루 일과별 보내는 시간

일과	잠	식사	학교 생활	휴식	공부	합계
보내는 시간(시간)	9	2	6	4		24

( ), ( )시간

세라네 반 학생들의 장래 희망을 조사한 표입니다. 가장 많은 학생이 원하는 장래 희망은 무엇이고, 몇 명이 원할까요?

세라네 반 학생들의 장래 희망별 학생 수

장래 희망	연예인	선생님	경찰관	요리사	운동 선수	합계
학생 수(명)		7	4	5	3	25

( ), ( )명

3일차 표 완성하기 (2)

조건을 보고 표를 완성해 보세요.

1월에는 2월보다 책을 3권 더 많이 읽었습니다.

시유가 4개월 동안 읽은 월별 책 수

월	1월	2월	3월	4월	합계
책 수(권)		18	10	14	

사과와 바나나를 좋아하는 학생 수가 같습니다.

사과와 바나나를 좋아하는 학생 수를 더하면 몇 명인지 구합니다.

은수네 반 학생들이 좋아하는 과일별 학생 수

과일	수박	사과	바나나	포도	메론	합계
학생 수(명)	8			5	7	30

5반은 4반보다 안경을 쓴 학생이 1명 더 많습니다.

새별이네 학교 2학년의 반별 안경을 쓴 학생 수

반	1반	2반	3반	4반	5반	합계
학생 수(명)	9	5	12			41

물음에 답하세요.

동물원에 있는 동물을 조사한 표입니다. 동물원에 있는 호랑이와 사자의 수가 같다면 조사한 동물은 모두 몇 마리일까요?

동물원에 있는 종류별 동물 수

종류	호랑이	곰	사자	사슴	원숭이	합계
동물 수(마리)	4	6		5	9	

( )마리

농장에서 기르는 동물을 조사한 표입니다. 닭이 오리보다 1마리 더 많다면 가장 많은 동물은 무엇이고, 몇 마리 있을까요?

농장에 있는 종류별 동물 수

종류	돼지	소	닭	오리	염소	합계
동물 수(마리)	6	4			5	34

( ), ( )마리

4일차 그래프 완성하기

조건을 보고 그래프를 완성해 보세요.

당근은 무보다 5개 더 많이 캤습니다.

인규가 밭에서 캔 종류별 채소 수

파	○	○	○	○				
당근								
무	○	○	○					
양파	○	○	○	○	○	○		
종류 / 채소 수(개)	1	2	3	4	5	6	7	8

호석이는 골을 선아보다 많이 넣었고, 정우보다 적게 넣었습니다.

선아네 모둠 학생들이 골을 넣은 횟수

5		○			
4		○			
3	○	○			
2	○	○		○	
1	○	○		○	○
횟수(번) / 이름	선아	정우	호석	지연	민수

조건을 보고 그래프를 완성해 보세요.

조사한 학생은 모두 16명입니다.

재우네 반 학생들이 해 보고 싶은 민속 놀이별 학생 수

6		△		
5		△		
4		△		
3	△	△		
2	△	△	△	
1	△	△	△	
학생 수(명) / 민속 놀이	제기차기	연날리기	윷놀이	팽이치기

봉사활동을 가장 많이 한 학생은 가장 적게 한 학생보다 8번 더 많이 했습니다.

민희네 모둠 학생들이 한 달 동안 봉사활동을 한 날 수

민희	/	/	/	/						
보미	/	/	/	/	/	/				
준성	/	/	/							
하영										
대한	/	/	/	/	/	/	/	/	/	/
이름 / 날 수(일)	1	2	3	4	5	6	7	8	9	10

5일차 찢어진 그래프

온유네 반 학생들이 배우고 있는 운동별 학생 수를 나타낸 그래프인데 윗부분이 찢어졌습니다. 물음에 답하세요.

온유네 반 학생들이 배우고 있는 운동별 학생 수

5		○			
4		○			○
3	○	○		○	○
2	○	○	○	○	○
1	○	○	○	○	○
학생 수(명) / 운동	축구	태권도	수영	농구	줄넘기

배우는 학생 수가 3명보다 많은 운동을 모두 써 보세요.

( ), ( )

조사한 학생 수가 모두 20명이라면 태권도를 배우는 학생은 몇 명인가요?

( )명

월 일

석우네 모둠 학생들이 일주일 동안 받은 칭찬 딱지의 수를 나타낸 그래프인데 오른쪽 부분이 찢어졌습니다. 물음에 답하세요.

석우네 모둠 학생들이 일주일 동안 받은 칭찬 딱지의 수

석우	☆	☆	☆	☆	☆	☆	☆
민성	☆	☆	☆	☆	☆		
유나	☆	☆	☆	☆	☆	☆	
예원	☆	☆	☆				
이름 / 딱지 수(개)	1	2	3	4	5	6	7

석우는 칭찬 딱지를 가장 적게 받은 학생보다 6개 더 많이 받았습니다. 석우가 받은 칭찬 딱지는 몇 개인가요?

(　　　　　)개

석우네 모둠 학생들이 일주일 동안 받은 칭찬 딱지는 모두 몇 개인가요?

(　　　　　)개

체험 학습 장소

훈이네 반 학생들이 가 보고 싶은 체험 학습 장소를 조사한 표입니다. 동물원에 가 보고 싶은 학생과 과학관에 가 보고 싶은 학생 수가 같다고 할 때 표를 완성하고, 그래프로 나타내어 보세요.

훈이네 반 학생들이 가 보고 싶은 체험 학습 장소별 학생 수

장소	박물관	동물원	과학관	식물원	합계
학생 수(명)	3			6	25

훈이네 반 학생들이 가 보고 싶은 체험 학습 장소별 학생 수

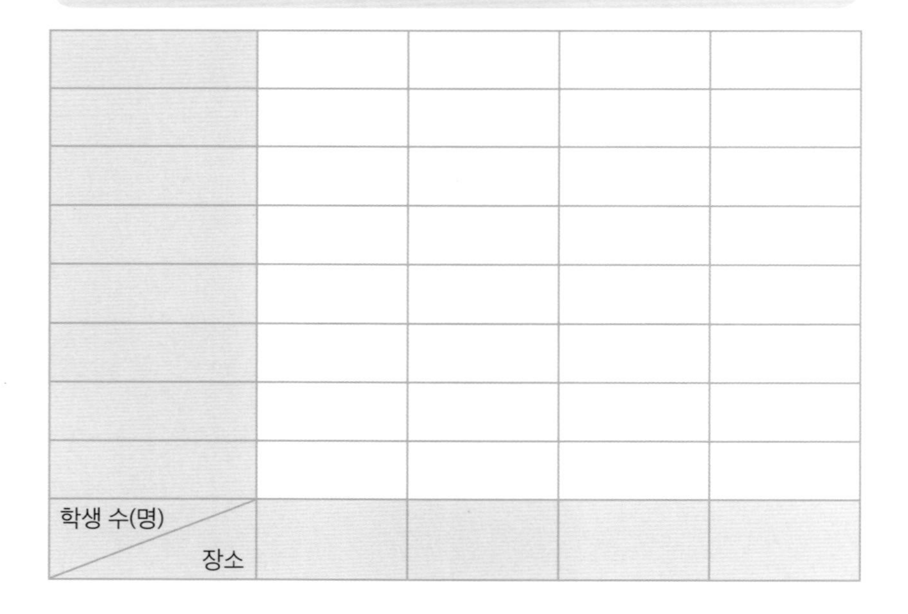

링크 2가지 조사

LINK 1 표와 그래프 만들기

경수와 태희가 10월 한 달 동안 한 운동입니다. 자료를 보고 표로 나타내어 보세요. 운동을 하지 않은 날은 ×표 했습니다.

경수가 10월 한 달 동안 한 운동

일	월	화	수	목	금	토
	1	2	3	4	5	6
7 ×	8	9	10	11	12	13
14 ×	15	16	17	18	19	20
21 ×	22	23	24	25	26	27
28 ×	29	30	31			

태희가 10월 한 달 동안 한 운동

일	월	화	수	목	금	토
	1	2 ×	3	4	5	6
7	8	9 ×	10	11	12	13
14	15	16 ×	17	18	19	20
21	22	23 ×	24	25	26	27
28	29	30 ×	31			

경수가 10월 한 달 동안 한 운동별 날 수

운동	날 수(일)
태권도	
배드민턴	
줄넘기	
달리기	
합계	

태희가 10월 한 달 동안 한 운동별 날 수

운동	날 수(일)
태권도	
배드민턴	
줄넘기	
달리기	
합계	

왼쪽 자료와 표를 보고 ◯를 이용하여 그래프로 나타내어 보세요.

경수가 10월 한 달 동안 한 운동별 날 수

태권도										
배드민턴										
줄넘기										
달리기										
운동 / 날 수(일)	1	2	3	4	5	6	7	8	9	10

태희가 10월 한 달 동안 한 운동별 날 수

태권도										
배드민턴										
줄넘기										
달리기										
운동 / 날 수(일)	1	2	3	4	5	6	7	8	9	10

LINK 2 2개의 표

예서네 반과 승우네 반 학생들이 신청한 창의 활동을 조사한 표입니다. 올바른 말에 ◯표, 틀린 말에 ╳표 하세요.

예서네 반 학생들이 신청한 창의 활동별 학생 수

창의 활동	학생 수(명)
요리	10
독서논술	7
로봇창의	6
합계	23

승우네 반 학생들이 신청한 창의 활동별 학생 수

창의 활동	학생 수(명)
요리	8
독서논술	7
로봇창의	9
합계	24

예서네 반에서 독서논술을 신청한 학생은 7명입니다. .... (　　　　)

승우네 반에서 가장 많이 신청한 활동은 요리입니다. .... (　　　　)

예서네 반에서 가장 적게 신청한 활동은 로봇창의입니다. .... (　　　　)

두 반에서 조사한 학생 수는 같습니다. .... (　　　　)

월 일

왼쪽 표를 보고 물음에 답하세요.

두 반에서 독서논술을 신청한 학생을 더하면 몇 명인가요?

( )명

로봇창의를 신청한 학생은 승우네 반이 예서네 반보다 몇 명 더 많은가요?

( )명

두 반을 모았을 때 가장 많이 신청한 창의 활동은 무엇인가요?

( )

두 반의 표를 합쳐 하나의 표로 나타내어 보세요.

예서네 반과 승우네 반 학생들이 신청한 창의 활동별 학생 수

창의 활동	요리	독서논술	로봇창의	합계
학생 수(명)				

LINK 3

2개의 그래프

시온이네 반 학생들이 좋아하는 반려동물을 조사하여 남학생과 여학생으로 나누어 나타낸 그래프입니다. 물음에 답하세요.

시온이네 반 남학생들이 좋아하는 반려동물별 학생 수

6	○		
5	○		
4	○		
3	○		○
2	○	○	○
1	○	○	○
학생 수(명) / 반려동물	강아지	고양이	햄스터

시온이네 반 여학생들이 좋아하는 반려동물별 학생 수

6			
5		○	
4	○	○	
3	○	○	
2	○	○	○
1	○	○	○
학생 수(명) / 반려동물	강아지	고양이	햄스터

고양이를 좋아하는 남학생은 3명입니다. ( )

햄스터를 좋아하는 여학생은 2명입니다. ( )

여학생이 가장 좋아하는 반려동물은 강아지입니다. ( )

조사한 남학생 수와 여학생 수가 같습니다. ( )

월 일

왼쪽 그래프를 보고 물음에 답하세요.

강아지를 좋아하는 학생은 남학생이 여학생보다 몇 명 더 많은가요?

( )명

시온이네 반에서 가장 적은 학생들이 좋아하는 반려동물은 무엇인가요?

( )

두 그래프를 합쳐 ◯를 이용하여 하나의 그래프로 나타내어 보세요.

시온이네 반 학생들이 좋아하는 반려동물별 학생 수

강아지										
고양이										
햄스터										
반려동물 / 학생 수(명)	1	2	3	4	5	6	7	8	9	10

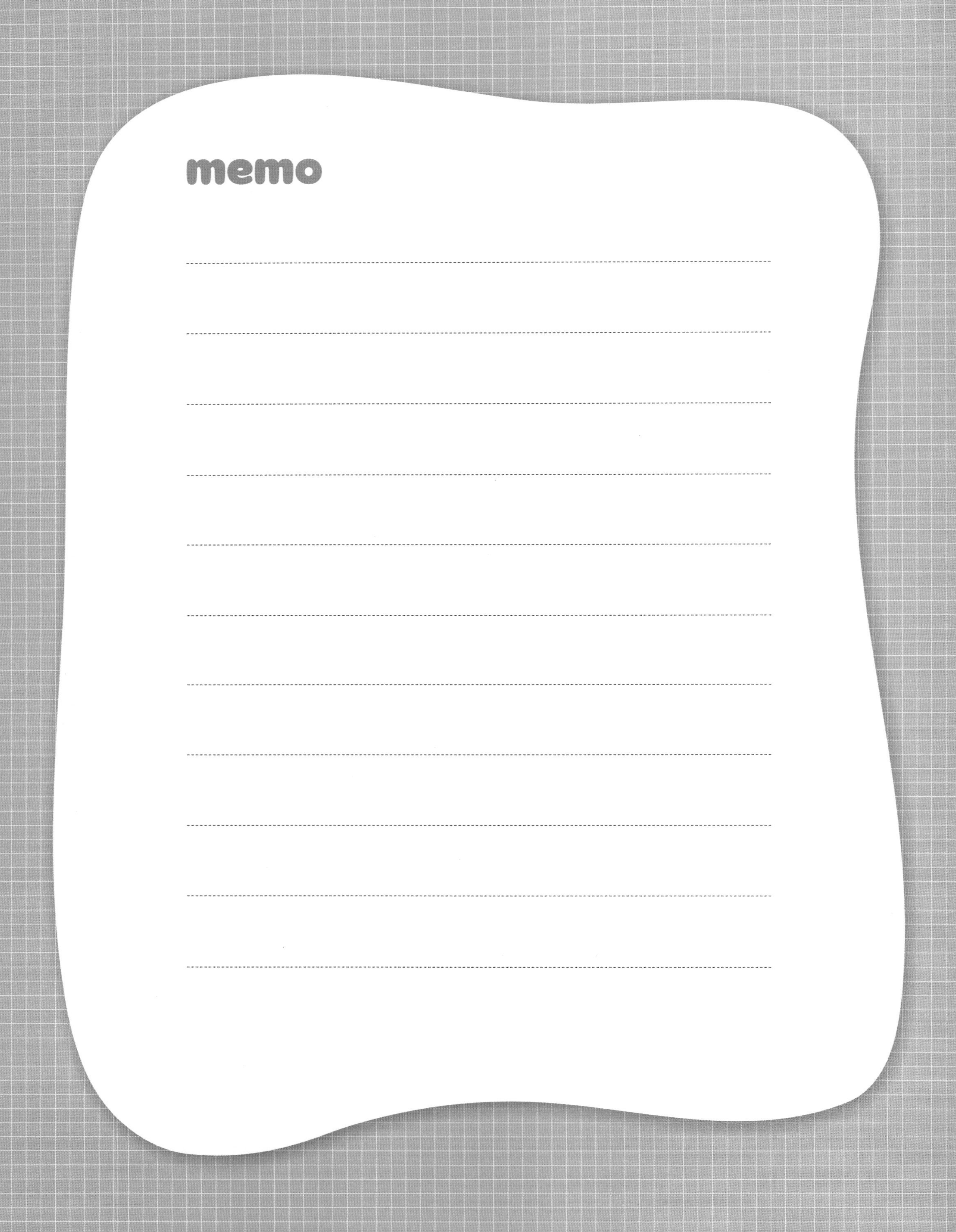
memo

형성평가

형성평가 1회

1 구멍이 4개인 단추는 모두 몇 개일까요?

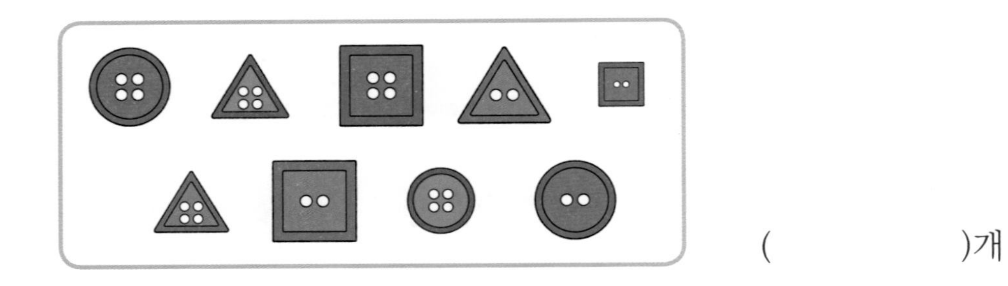

(　　　　　　)개

※ 건우네 반 학생들이 좋아하는 과일을 조사하였습니다. 물음에 답하세요. (**2~3**)

건우네 반 학생들이 좋아하는 과일

건우	승아	다빈	지현	세영	소희
지수	호준	상희	시안	민서	기우
정우	선예	하준	하늘	우진	지윤

2 건우가 좋아하는 과일은 무엇일까요? (　　　　　　)

3 자료를 보고 표로 나타내어 보세요.

건우네 반 학생들이 좋아하는 과일별 학생 수

과일	배	사과	복숭아	귤	합계
학생 수(명)					

※ 민서네 모둠 학생들이 일주일 동안 읽은 책 수를 조사한 그래프입니다. 물음에 답하세요. (**4~6**)

민서네 모둠 학생들이 일주일 동안 읽은 책 수

민서	○	○	○	○	○	○	○	○	○	○
성우	○	○	○	○	○					
세은	○	○	○	○	○	○	○	○		
준호										
이름 / 책 수(권)	1	2	3	4	5	6	7	8	9	10

4 준호는 민서보다 책을 6권 적게 읽었습니다. 위의 그래프를 완성해 보세요.

5 책을 7권보다 많이 읽은 학생을 모두 구해 보세요.

(　　　　　,　　　　　)

6 민서네 모둠 학생들이 일주일 동안 읽은 책은 모두 몇 권일까요?

(　　　　　)권

형성평가 2회

1 체육관에 있는 공을 종류별로 분류하였습니다. 빈칸에 알맞은 말과 수를 써넣으세요.

종류	배구공	축구공	농구공	야구공
공의 수(개)	12	12	9	12

공의 수가 종류별로 모두 같으려면 [　　　]을 [　]개 더 사야 합니다.

※ 주사위를 15번 굴려서 나온 눈입니다. 물음에 답하세요. (**2**~**3**)

주사위를 굴려 나온 눈의 횟수

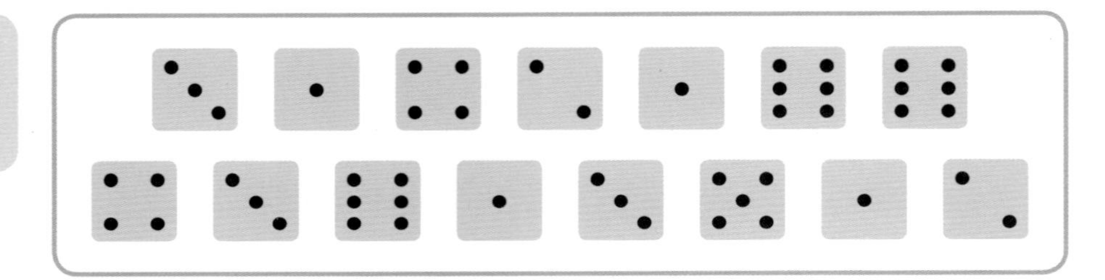

2 자료를 보고 ○를 이용하여 그래프로 나타내어 보세요.

주사위를 굴려 나온 눈의 횟수

4						
3						
2						
1						
횟수(번) / 눈	⚀	⚁	⚂	⚃	⚄	⚅

3 가장 많이 나온 눈은 가장 적게 나온 눈보다 몇 번 더 나왔을까요?

(　　　　　)번

※ 은재네 반 학생들이 좋아하는 색깔을 조사한 표입니다. 물음에 답하세요. (**4~6**)

은재네 반 학생들이 좋아하는 색깔별 학생 수

색깔	파란색	빨간색	노란색	초록색	합계
학생 수(명)	7	3			21

4 노란색을 좋아하는 학생은 초록색을 좋아하는 학생보다 1명 더 적습니다. 위의 표를 완성해 보세요.

5 파란색을 좋아하는 학생은 노란색을 좋아하는 학생보다 몇 명 더 많을까요?

(　　　　　)명

6 표를 보고 알 수 있는 것의 기호를 모두 써 보세요.

㉠ 가장 많은 학생이 좋아하는 색깔
㉡ 은재가 좋아하는 색깔
㉢ 은재네 반 남학생과 여학생 수
㉣ 은재네 반 학생들이 좋아하는 색깔의 종류

(　　　　,　　　　)

memo

초등 수학 핵심파트 집중 완성

교과특강

초2

B3

표와 그래프

정답

정답

B3

표와 그래프

정답

1주차: 자료 분류

8쪽・9쪽

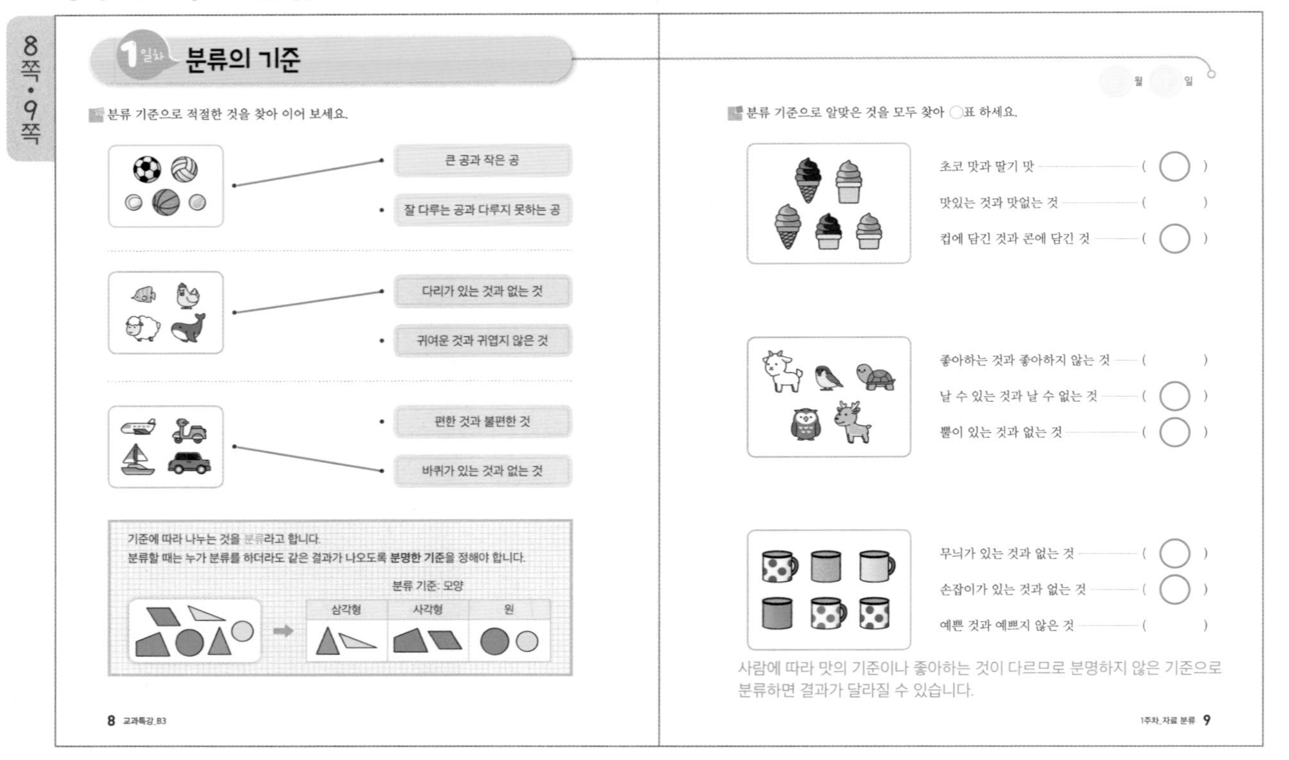

1일차 분류의 기준
분류 기준으로 적절한 것을 찾아 이어 보세요.
큰 공과 작은 공
잘 다루는 공과 다루지 못하는 공
다리가 있는 것과 없는 것
귀여운 것과 귀엽지 않은 것
편한 것과 불편한 것
바퀴가 있는 것과 없는 것
기준에 따라 나누는 것을 분류라고 합니다.
분류할 때는 누가 분류를 하더라도 같은 결과가 나오도록 분명한 기준을 정해야 합니다.
분류 기준: 모양
삼각형
사각형
원
8 교과특강_B3
월 일
분류 기준으로 알맞은 것을 모두 찾아 ○표 하세요.
초코 맛과 딸기 맛 (○)
맛있는 것과 맛없는 것 ( )
컵에 담긴 것과 콘에 담긴 것 (○)
좋아하는 것과 좋아하지 않는 것 ( )
날 수 있는 것과 날 수 없는 것 (○)
뿔이 있는 것과 없는 것 (○)
무늬가 있는 것과 없는 것 (○)
손잡이가 있는 것과 없는 것 (○)
예쁜 것과 예쁘지 않은 것 ( )
사람에 따라 맛의 기준이나 좋아하는 것이 다르므로 분명하지 않은 기준으로 분류하면 결과가 달라질 수 있습니다.
1주차_자료 분류 9

10쪽・11쪽

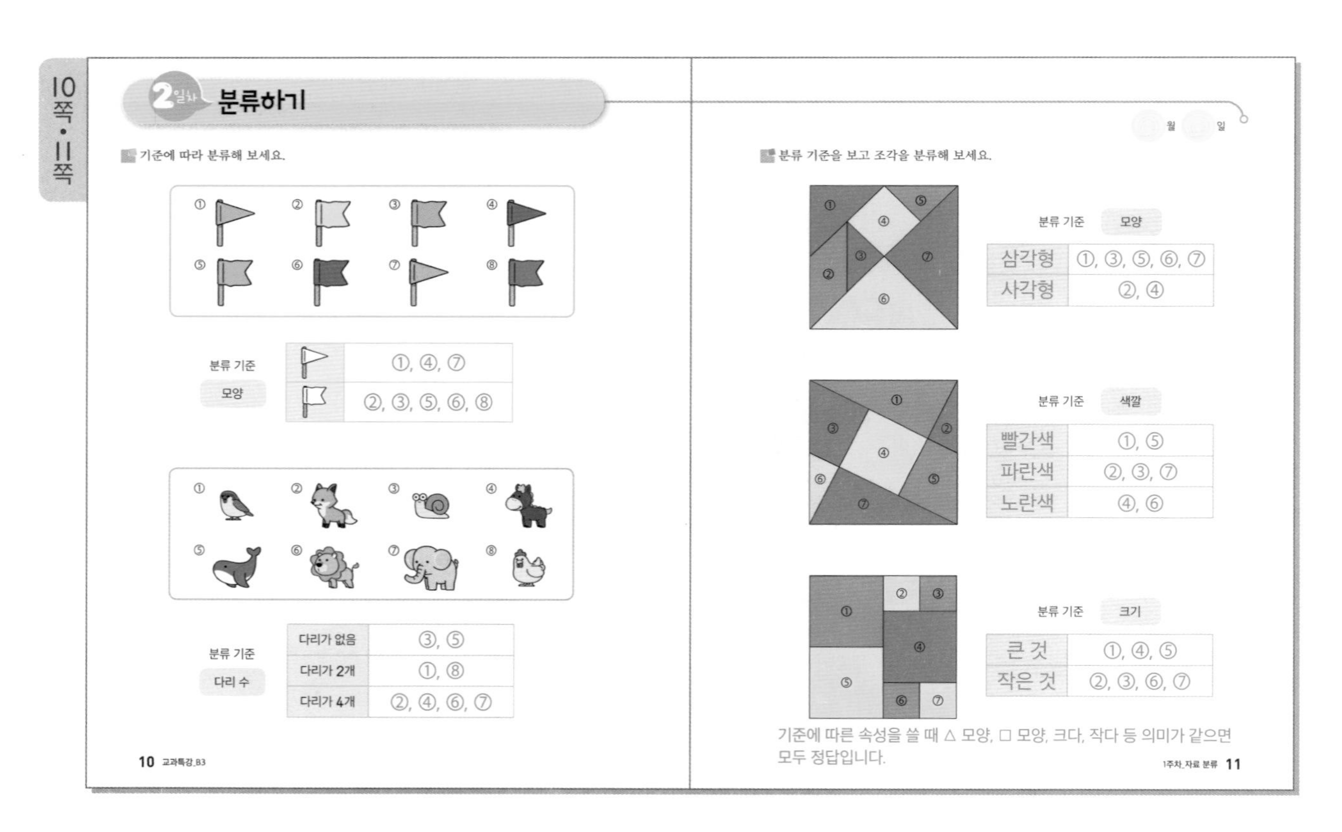

2일차 분류하기
기준에 따라 분류해 보세요.
분류 기준 모양
①, ④, ⑦
②, ③, ⑤, ⑥, ⑧
분류 기준 다리 수
다리가 없음 ③, ⑤
다리가 2개 ①, ⑧
다리가 4개 ②, ④, ⑥, ⑦
10 교과특강_B3
월 일
분류 기준을 보고 조각을 분류해 보세요.
분류 기준 모양
삼각형 ①, ③, ⑤, ⑥, ⑦
사각형 ②, ④
분류 기준 색깔
빨간색 ①, ⑤
파란색 ②, ③, ⑦
노란색 ④, ⑥
분류 기준 크기
큰 것 ①, ④, ⑤
작은 것 ②, ③, ⑥, ⑦
기준에 따른 속성을 쓸 때 △ 모양, □ 모양, 크다, 작다 등 의미가 같으면 모두 정답입니다.
1주차_자료 분류 11

12쪽·13쪽

3일차 기준 찾기

■ 어떤 기준에 따라 분류했습니다. 분류 기준을 써 보세요.

분류 기준 길이

또는 긴 것과 짧은 것

분류 기준 구멍의 수

또는 구멍이 2개인 것과 4개인 것

분류 기준 이용하는 장소

또는 하늘과 바다와 땅에서 이용하는 탈 것

■ 기준을 정하여 수 카드를 분류해 보세요.

6 2 1 4 3 7 9 8 5

분류 기준 색깔 또는 빨간색과 노란색

빨간색	노란색
6, 1, 4, 9	2, 3, 7, 8, 5

짝수와 홀수로 분류할 수도 있습니다.
짝수: 6, 2, 4, 8 / 홀수: 1, 3, 7, 9, 5

3 12 2 10 1 19 11 8 5 16

분류 기준 짝수와 홀수

짝수	홀수
12, 2, 10, 8, 16	3, 1, 19, 11, 5

한 자리 수와 두 자리 수로 분류할 수도 있습니다.
한 자리 수: 3, 2, 1, 8, 5 / 두 자리 수: 12, 10, 19, 11, 16

14쪽·15쪽

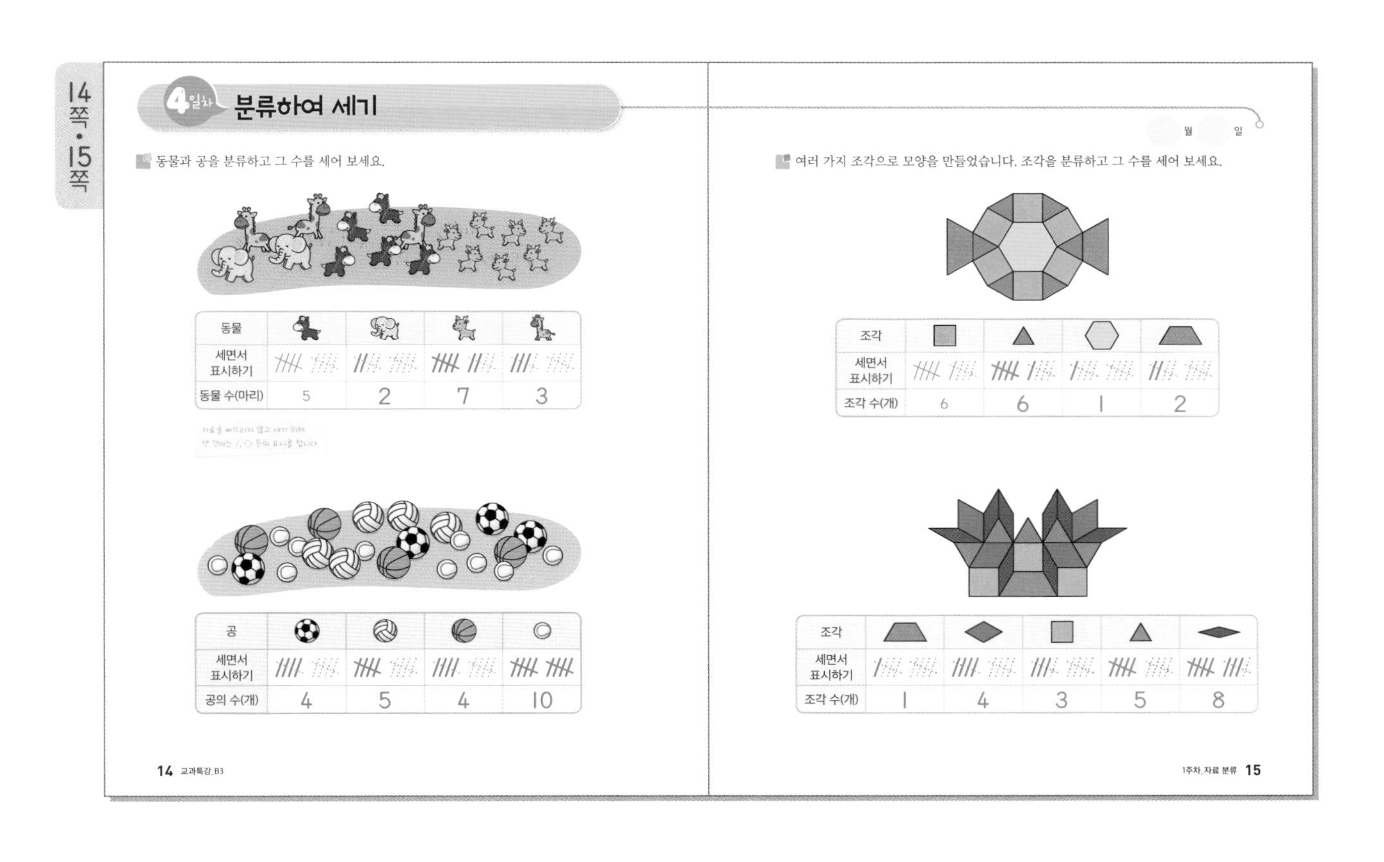

4일차 분류하여 세기

■ 동물과 공을 분류하고 그 수를 세어 보세요.

동물	얼룩말	코끼리	사슴	기린
세면서 표시하기	卌	//	卌 //	///
동물 수(마리)	5	2	7	3

공	축구공	배구공	농구공	탁구공
세면서 표시하기	////	卌	////	卌 卌
공의 수(개)	4	5	4	10

■ 여러 가지 조각으로 모양을 만들었습니다. 조각을 분류하고 그 수를 세어 보세요.

조각	사각형	삼각형	육각형	사다리꼴
세면서 표시하기	卌 /	卌 /	/	//
조각 수(개)	6	6	1	2

조각	사다리꼴	마름모	사각형	삼각형	얇은 마름모
세면서 표시하기	/	////	///	卌	卌 ///
조각 수(개)	1	4	3	5	8

정답

16쪽·17쪽

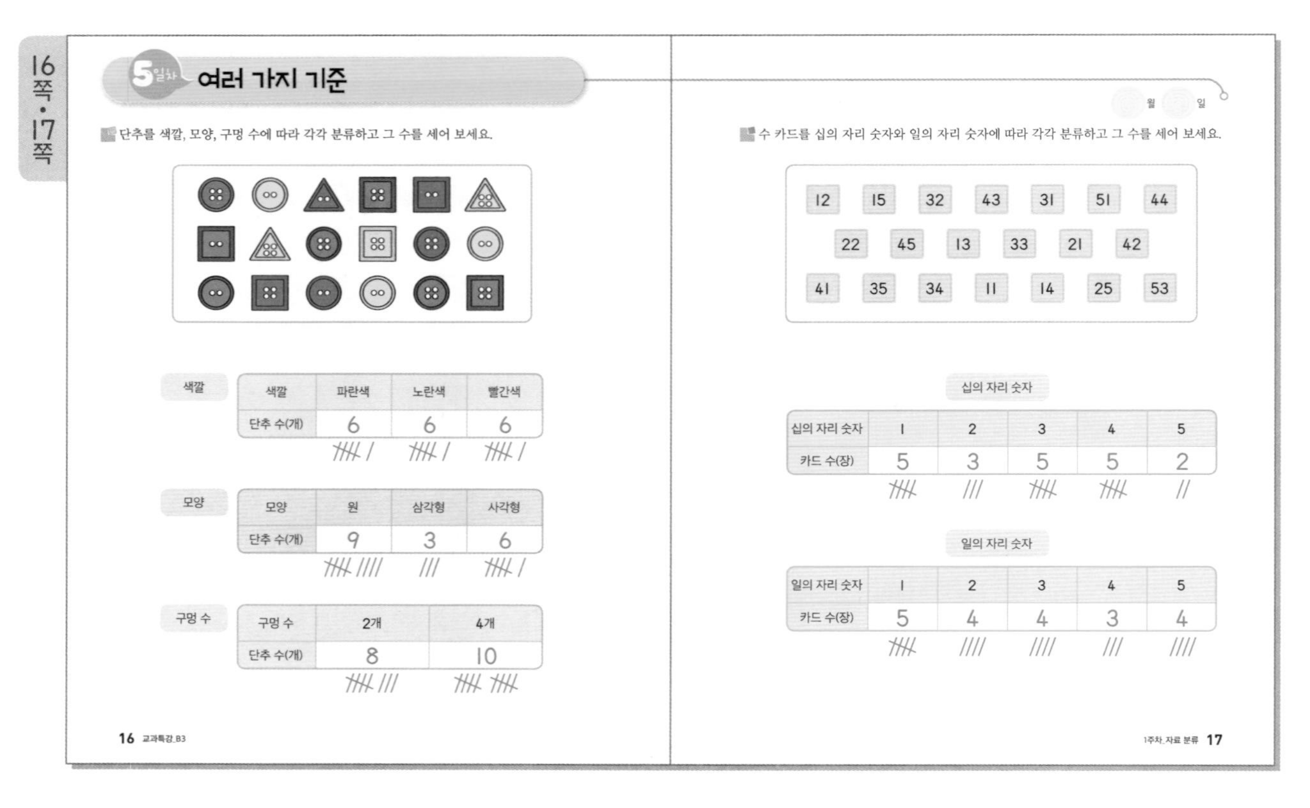

5일차 여러 가지 기준

단추를 색깔, 모양, 구멍 수에 따라 각각 분류하고 그 수를 세어 보세요.

색깔

색깔	파란색	노란색	빨간색
단추 수(개)	6	6	6

모양

모양	원	삼각형	사각형
단추 수(개)	9	3	6

구멍 수

구멍 수	2개	4개
단추 수(개)	8	10

16 교과특강_B3

월 일

수 카드를 십의 자리 숫자와 일의 자리 숫자에 따라 각각 분류하고 그 수를 세어 보세요.

12 15 32 43 31 51 44
22 45 13 33 21 42
41 35 34 11 14 25 53

십의 자리 숫자

십의 자리 숫자	1	2	3	4	5
카드 수(장)	5	3	5	5	2

일의 자리 숫자

일의 자리 숫자	1	2	3	4	5
카드 수(장)	5	4	4	3	4

1주차_자료 분류 17

18쪽

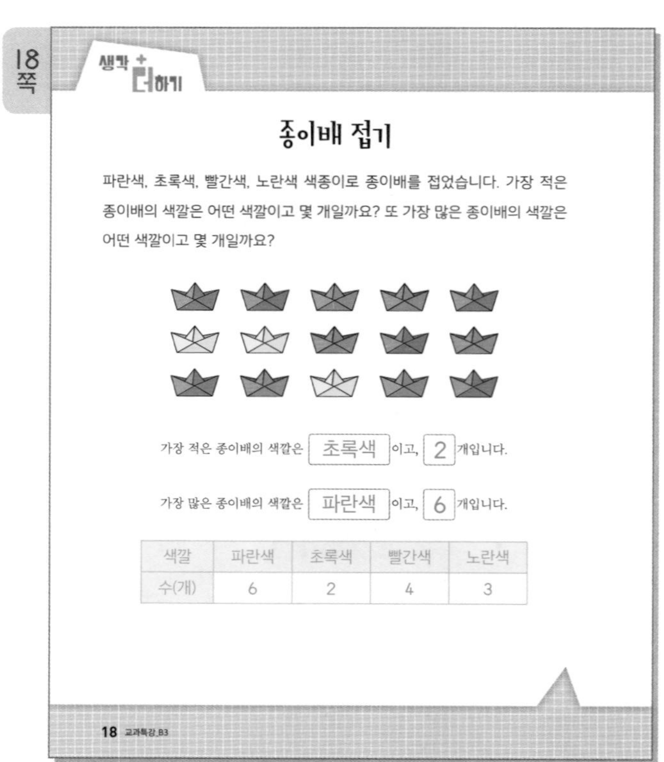

생각 더하기

종이배 접기

파란색, 초록색, 빨간색, 노란색 색종이로 종이배를 접었습니다. 가장 적은 종이배의 색깔은 어떤 색깔이고 몇 개일까요? 또 가장 많은 종이배의 색깔은 어떤 색깔이고 몇 개일까요?

가장 적은 종이배의 색깔은 초록색이고, 2 개입니다.

가장 많은 종이배의 색깔은 파란색이고, 6 개입니다.

색깔	파란색	초록색	빨간색	노란색
수(개)	6	2	4	3

18 교과특강_B3

2주차: 표

20쪽・21쪽

1일차 자료 보기

연아네 반 학생들이 좋아하는 과일을 조사하였습니다. 빈칸에 알맞은 말 또는 수를 써넣으세요.

연아네 반 학생들이 좋아하는 과일

연아	승우	다빈	지현	세영	소희
지수	호준	상희	시안	민서	기우
정우	선예	하준	하늘	우진	지윤

: 사과 : 귤 : 감 : 포도

연아가 좋아하는 과일은 사과 입니다.

승우가 좋아하는 과일은 귤 입니다.

포도를 좋아하는 학생은 소희, 민서, 선예 입니다.

감을 좋아하는 학생은 다빈, 시안, 기우, 정우 입니다.

조사한 학생은 모두 18 명입니다.

월 일

진호네 반 학생들이 좋아하는 색깔을 조사하였습니다. 빈칸에 알맞은 말 또는 수를 써넣으세요.

진호네 반 학생들이 좋아하는 색깔

진호	다희	민성	은아	성훈
한울	지연	찬우	민지	승아
희우	재민	승기	종수	경은
보영	태희	민혁	우빈	채린

: 초록색 : 빨간색 : 파란색 : 노란색

진호가 좋아하는 색깔은 초록색 입니다.

조사한 학생은 모두 20 명입니다.

조사한 학생들이 좋아하는 색깔은 모두 4 가지입니다.

초록색을 좋아하는 학생은 모두 4 명입니다.

파란색을 좋아하는 학생은 모두 7 명입니다.

22쪽・23쪽

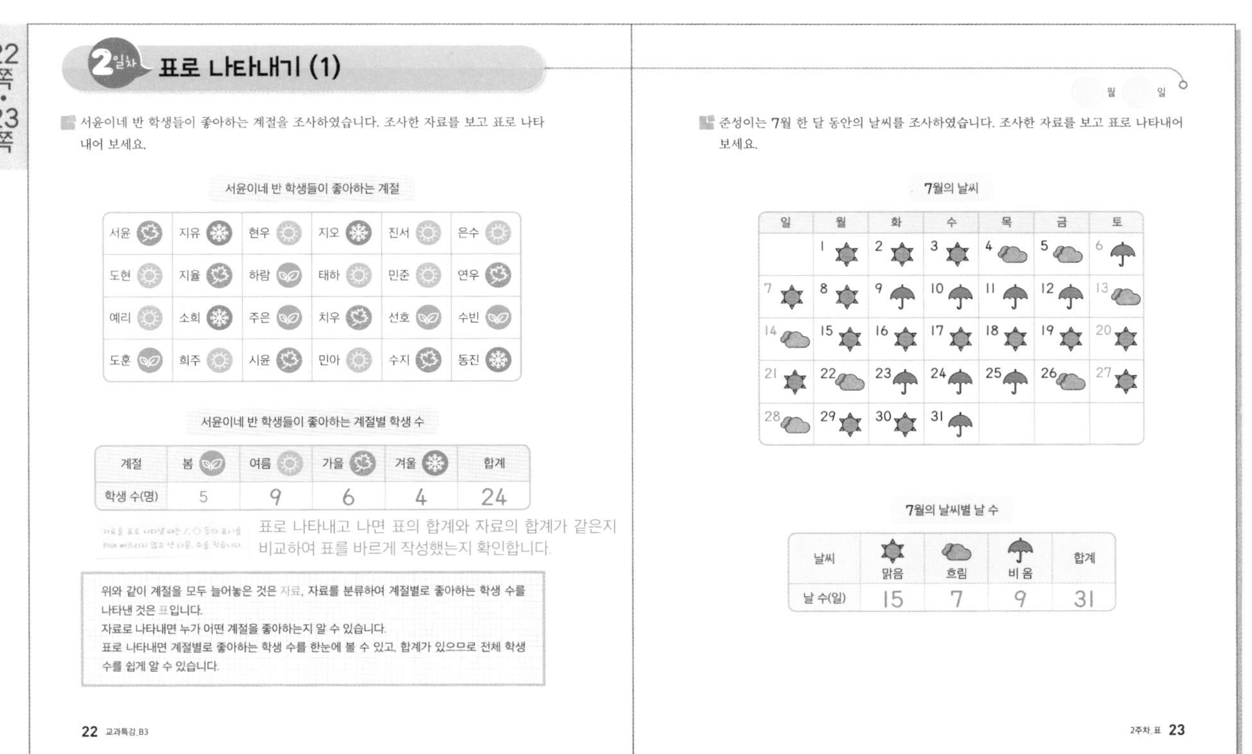

2일차 표로 나타내기 (1)

서윤이네 반 학생들이 좋아하는 계절을 조사하였습니다. 조사한 자료를 보고 표로 나타내어 보세요.

서윤이네 반 학생들이 좋아하는 계절

서윤	지유	현우	지오	진서	은수
도현	지율	하람	태하	민준	연우
예리	소희	주은	치우	선호	수빈
도훈	희주	시윤	민아	수지	동진

서윤이네 반 학생들이 좋아하는 계절별 학생 수

계절	봄	여름	가을	겨울	합계
학생 수(명)	5	9	6	4	24

표로 나타내고 나면 표의 합계와 자료의 합계가 같은지 비교하여 표를 바르게 작성했는지 확인합니다.

위와 같이 계절을 모두 늘어놓은 것은 자료, 자료를 분류하여 계절별로 좋아하는 학생 수를 나타낸 것은 표입니다.
자료로 나타내면 누가 어떤 계절을 좋아하는지 알 수 있습니다.
표로 나타내면 계절별로 좋아하는 학생 수를 한눈에 볼 수 있고, 합계가 있으므로 전체 학생 수를 쉽게 알 수 있습니다.

월 일

준성이는 7월 한 달 동안의 날씨를 조사하였습니다. 조사한 자료를 보고 표로 나타내어 보세요.

7월의 날씨

일	월	화	수	목	금	토
	1	2	3	4	5	6
7	8	9	10	11	12	13
14	15	16	17	18	19	20
21	22	23	24	25	26	27
28	29	30	31			

7월의 날씨별 날 수

날씨	맑음	흐림	비 옴	합계
날 수(일)	15	7	9	31

정답

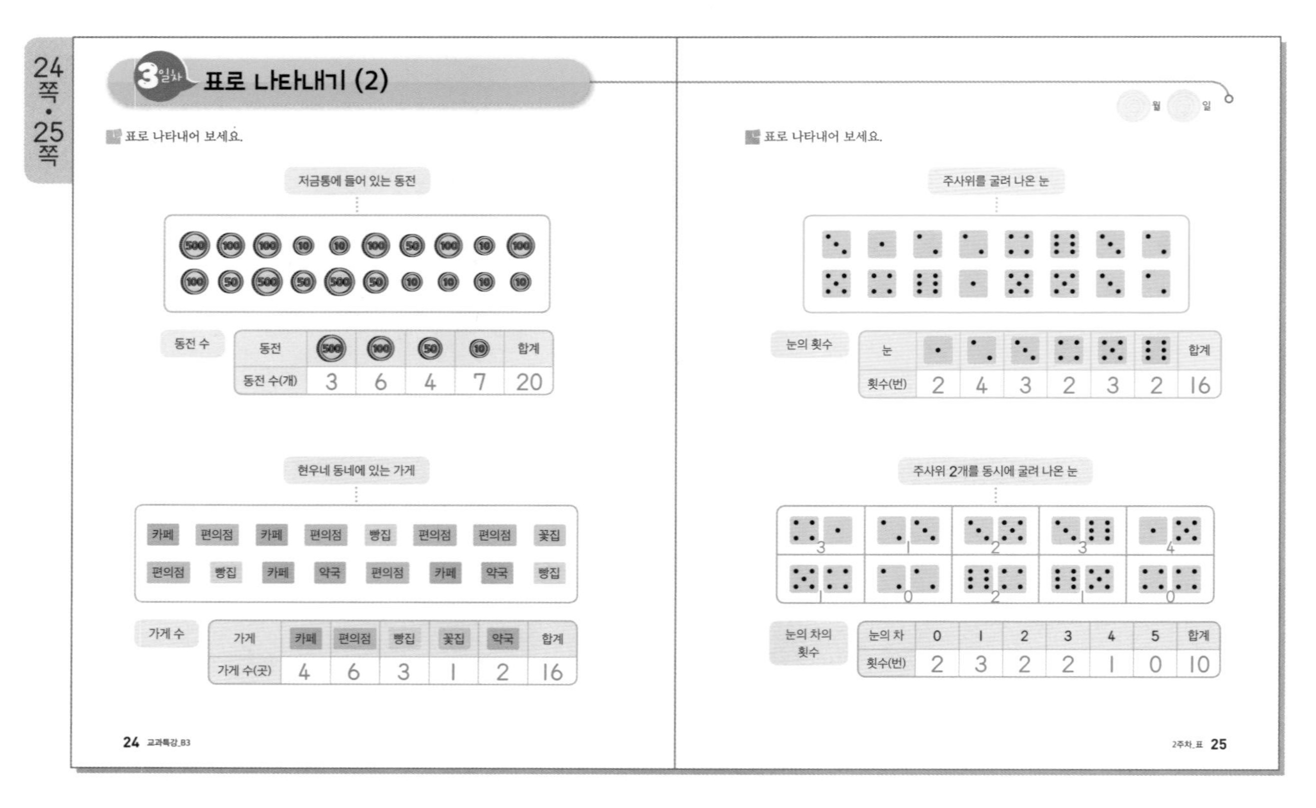

24쪽·25쪽

3일차 표로 나타내기 (2)

표로 나타내어 보세요.

저금통에 들어 있는 동전

동전 수

동전	500	100	50	10	합계
동전 수(개)	3	6	4	7	20

현우네 동네에 있는 가게

카페 편의점 카페 편의점 빵집 편의점 편의점 꽃집
편의점 빵집 카페 약국 편의점 카페 약국 빵집

가게 수

가게	카페	편의점	빵집	꽃집	약국	합계
가게 수(곳)	4	6	3	1	2	16

월 일

표로 나타내어 보세요.

주사위를 굴려 나온 눈

눈의 횟수

눈	⚀	⚁	⚂	⚃	⚄	⚅	합계
횟수(번)	2	4	3	2	3	2	16

주사위 2개를 동시에 굴려 나온 눈

3 1 2 3 4
1 0 2 1 0

눈의 차의 횟수

눈의 차	0	1	2	3	4	5	합계
횟수(번)	2	3	2	2	1	0	10

24 교과특강_B3 2주차_표 25

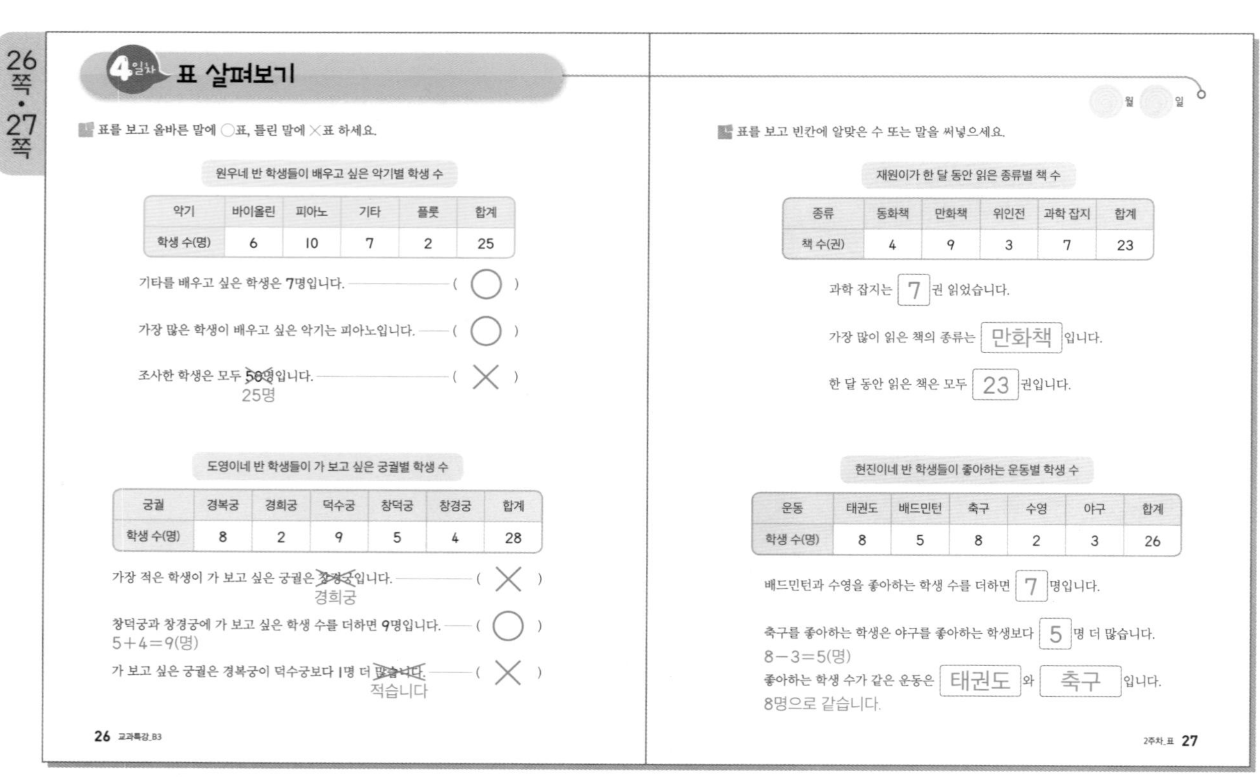

26쪽·27쪽

4일차 표 살펴보기

표를 보고 올바른 말에 ○표, 틀린 말에 ×표 하세요.

원우네 반 학생들이 배우고 싶은 악기별 학생 수

악기	바이올린	피아노	기타	플룻	합계
학생 수(명)	6	10	7	2	25

기타를 배우고 싶은 학생은 7명입니다. (○)

가장 많은 학생이 배우고 싶은 악기는 피아노입니다. (○)

조사한 학생은 모두 ~~50~~명입니다. (×)
25명

도영이네 반 학생들이 가 보고 싶은 궁궐별 학생 수

궁궐	경복궁	경희궁	덕수궁	창덕궁	창경궁	합계
학생 수(명)	8	2	9	5	4	28

가장 적은 학생이 가 보고 싶은 궁궐은 ~~창경궁~~입니다. (×)
경희궁

창덕궁과 창경궁에 가 보고 싶은 학생 수를 더하면 9명입니다. (○)
5+4=9(명)

가 보고 싶은 궁궐은 경복궁이 덕수궁보다 1명 더 ~~많습니다~~. (×)
적습니다

월 일

표를 보고 빈칸에 알맞은 수 또는 말을 써넣으세요.

재원이가 한 달 동안 읽은 종류별 책 수

종류	동화책	만화책	위인전	과학 잡지	합계
책 수(권)	4	9	3	7	23

과학 잡지는 [7]권 읽었습니다.

가장 많이 읽은 책의 종류는 [만화책]입니다.

한 달 동안 읽은 책은 모두 [23]권입니다.

현진이네 반 학생들이 좋아하는 운동별 학생 수

운동	태권도	배드민턴	축구	수영	야구	합계
학생 수(명)	8	5	8	2	3	26

배드민턴과 수영을 좋아하는 학생 수를 더하면 [7]명입니다.

축구를 좋아하는 학생은 야구를 좋아하는 학생보다 [5]명 더 많습니다.
8−3=5(명)

좋아하는 학생 수가 같은 운동은 [태권도]와 [축구]입니다.
8명으로 같습니다.

26 교과특강_B3 2주차_표 27

28쪽·29쪽

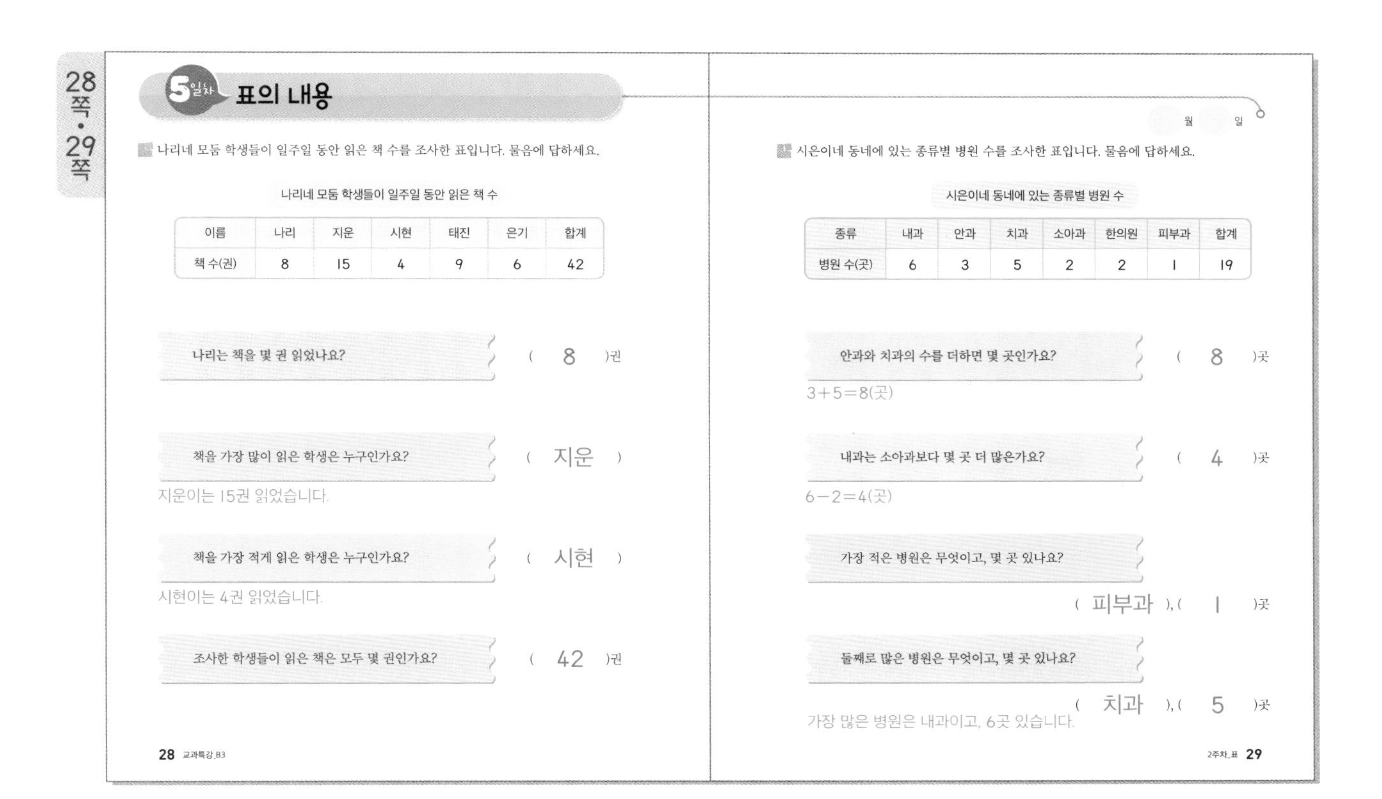

5일차 표의 내용

나리네 모둠 학생들이 일주일 동안 읽은 책 수를 조사한 표입니다. 물음에 답하세요.

나리네 모둠 학생들이 일주일 동안 읽은 책 수

이름	나리	지운	시현	태진	은기	합계
책 수(권)	8	15	4	9	6	42

나리는 책을 몇 권 읽었나요? (8)권

책을 가장 많이 읽은 학생은 누구인가요? (지운)

지운이는 15권 읽었습니다.

책을 가장 적게 읽은 학생은 누구인가요? (시현)

시현이는 4권 읽었습니다.

조사한 학생들이 읽은 책은 모두 몇 권인가요? (42)권

시은이네 동네에 있는 종류별 병원 수를 조사한 표입니다. 물음에 답하세요.

시은이네 동네에 있는 종류별 병원 수

종류	내과	안과	치과	소아과	한의원	피부과	합계
병원 수(곳)	6	3	5	2	2	1	19

안과와 치과의 수를 더하면 몇 곳인가요? (8)곳

3+5=8(곳)

내과는 소아과보다 몇 곳 더 많은가요? (4)곳

6−2=4(곳)

가장 적은 병원은 무엇이고, 몇 곳 있나요?

(피부과), (1)곳

둘째로 많은 병원은 무엇이고, 몇 곳 있나요?

(치과), (5)곳

가장 많은 병원은 내과이고, 6곳 있습니다.

28 교과특강_B3

2주차_표 29

30쪽

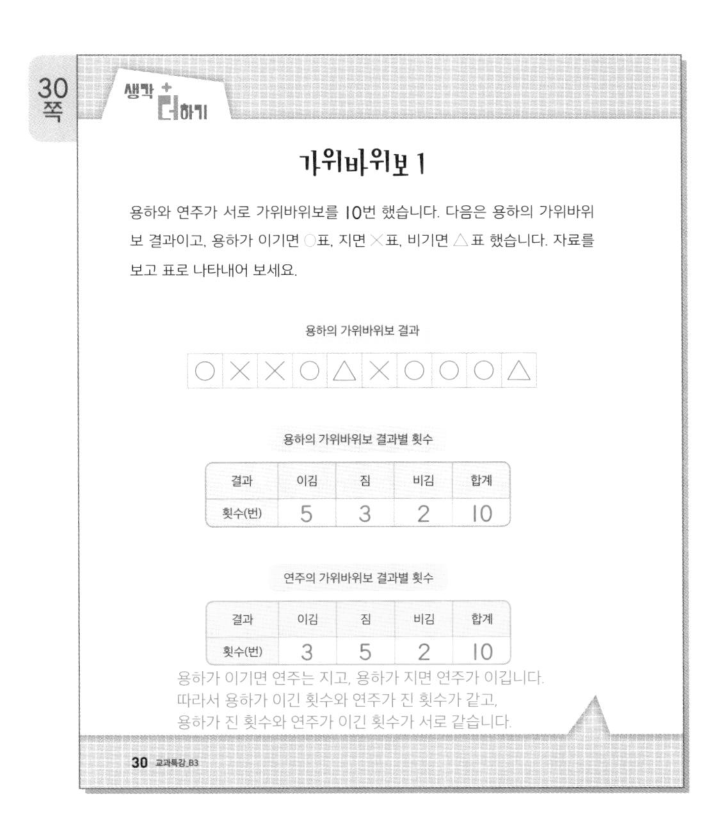

생각 더하기

가위바위보 1

용하와 연주가 서로 가위바위보를 10번 했습니다. 다음은 용하의 가위바위보 결과이고, 용하가 이기면 ○표, 지면 ×표, 비기면 △표 했습니다. 자료를 보고 표로 나타내어 보세요.

용하의 가위바위보 결과

○	×	×	○	△	×	○	○	○	△

용하의 가위바위보 결과별 횟수

결과	이김	짐	비김	합계
횟수(번)	5	3	2	10

연주의 가위바위보 결과별 횟수

결과	이김	짐	비김	합계
횟수(번)	3	5	2	10

용하가 이기면 연주는 지고, 용하가 지면 연주가 이깁니다.
따라서 용하가 이긴 횟수와 연주가 진 횟수가 같고,
용하가 진 횟수와 연주가 이긴 횟수가 서로 같습니다.

30 교과특강_B3

3주차: 그래프

32쪽·33쪽

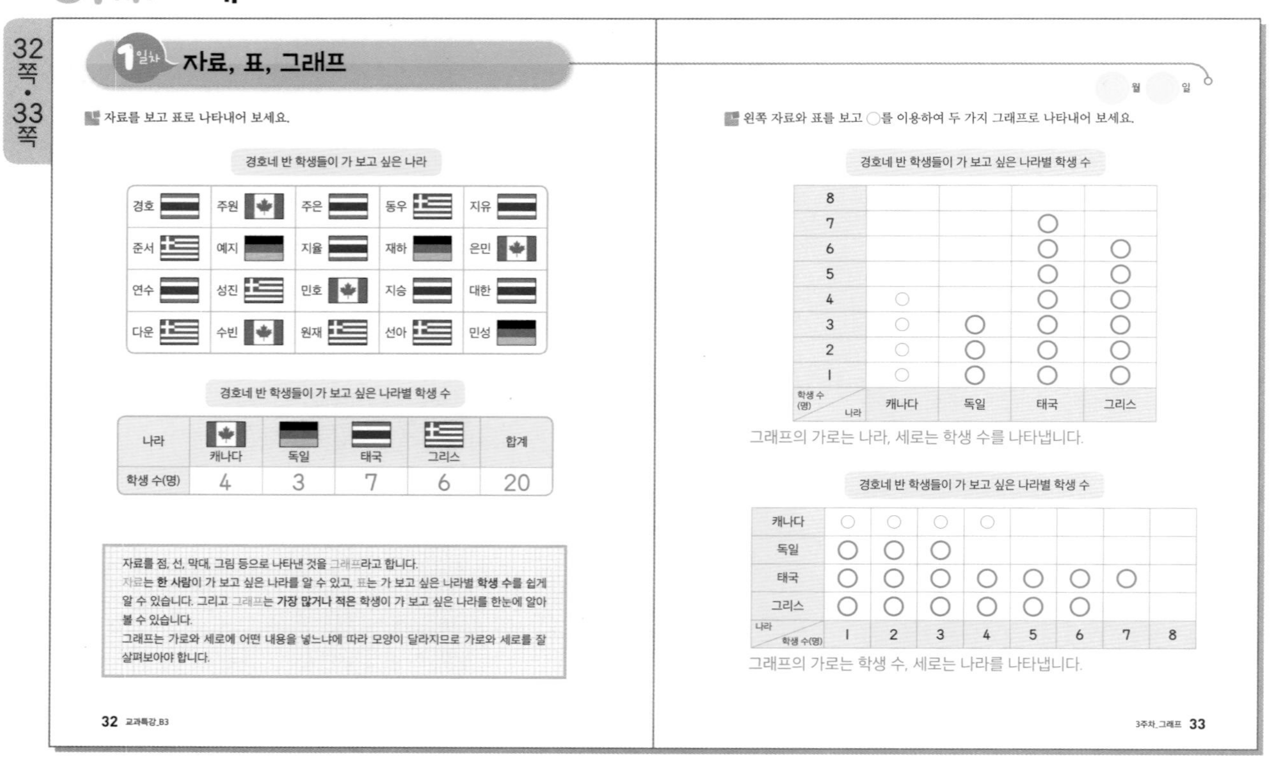

1일차 자료, 표, 그래프

자료를 보고 표로 나타내어 보세요.

경호네 반 학생들이 가 보고 싶은 나라

경호	주원	주은	동우	지유
준서	예지	지율	재하	은민
연수	성진	민호	지승	대한
다운	수빈	원재	선아	민성

경호네 반 학생들이 가 보고 싶은 나라별 학생 수

나라	캐나다	독일	태국	그리스	합계
학생 수(명)	4	3	7	6	20

자료를 점, 선, 막대, 그림 등으로 나타낸 것을 그래프라고 합니다.
자료는 한 사람이 가 보고 싶은 나라를 알 수 있고, 표는 가 보고 싶은 나라별 학생 수를 쉽게 알 수 있습니다. 그리고 그래프는 가장 많거나 적은 학생이 가 보고 싶은 나라를 한눈에 알아볼 수 있습니다.
그래프는 가로와 세로에 어떤 내용을 넣느냐에 따라 모양이 달라지므로 가로와 세로를 잘 살펴보아야 합니다.

월 일

왼쪽 자료와 표를 보고 ○를 이용하여 두 가지 그래프로 나타내어 보세요.

경호네 반 학생들이 가 보고 싶은 나라별 학생 수

8				
7			○	
6			○	○
5			○	○
4	○		○	○
3	○	○	○	○
2	○	○	○	○
1	○	○	○	○
학생 수(명) / 나라	캐나다	독일	태국	그리스

그래프의 가로는 나라, 세로는 학생 수를 나타냅니다.

경호네 반 학생들이 가 보고 싶은 나라별 학생 수

캐나다	○	○	○	○				
독일	○	○	○					
태국	○	○	○	○	○	○	○	
그리스	○	○	○	○	○	○		
나라 / 학생 수(명)	1	2	3	4	5	6	7	8

그래프의 가로는 학생 수, 세로는 나라를 나타냅니다.

34쪽·35쪽

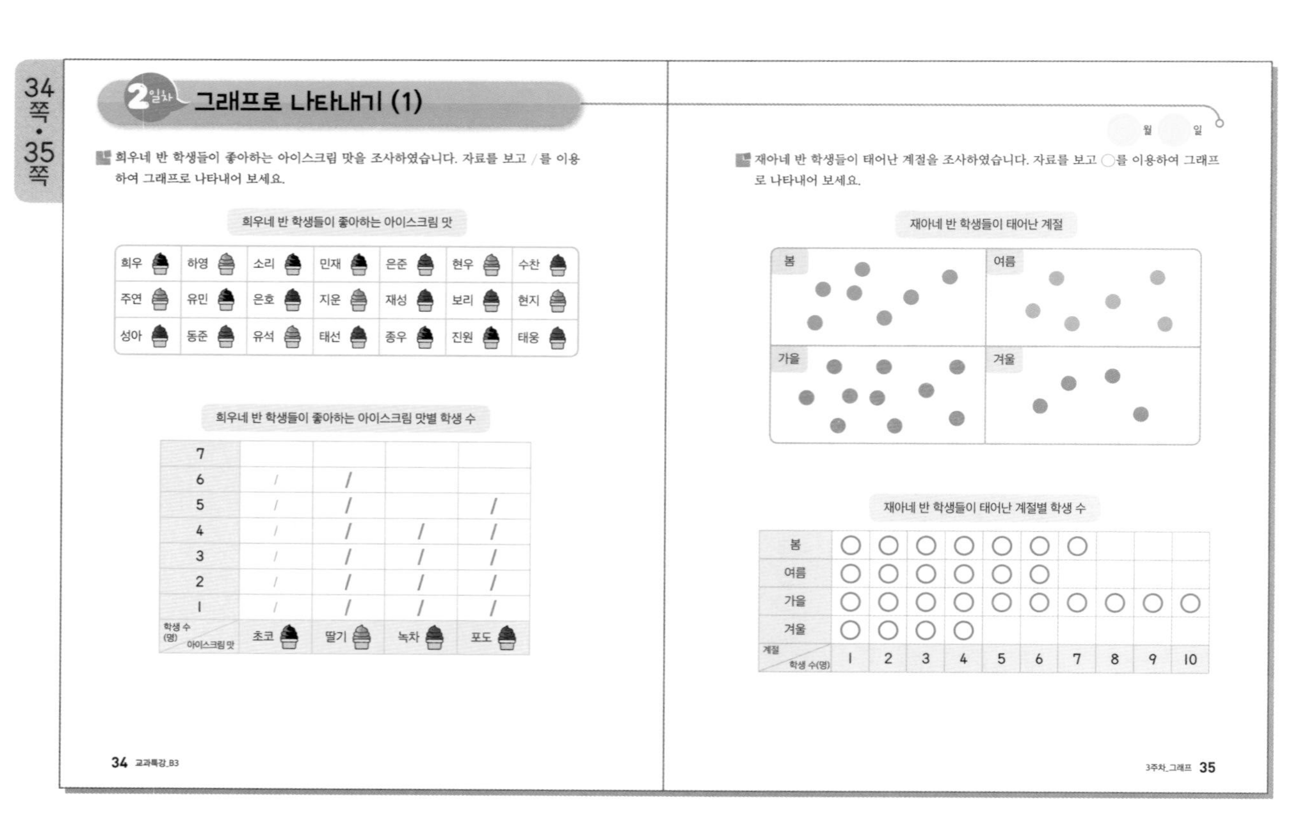

2일차 그래프로 나타내기 (1)

희우네 반 학생들이 좋아하는 아이스크림 맛을 조사하였습니다. 자료를 보고 /를 이용하여 그래프로 나타내어 보세요.

희우네 반 학생들이 좋아하는 아이스크림 맛

희우	하영	소리	민재	은준	현우	수찬
주연	유민	은호	지운	재성	보리	현지
성아	동준	유석	태선	종우	진원	태웅

희우네 반 학생들이 좋아하는 아이스크림 맛별 학생 수

7				
6	/	/		
5	/	/		/
4	/	/	/	/
3	/	/	/	/
2	/	/	/	/
1	/	/	/	/
학생 수(명) / 아이스크림 맛	초코	딸기	녹차	포도

월 일

재아네 반 학생들이 태어난 계절을 조사하였습니다. 자료를 보고 ○를 이용하여 그래프로 나타내어 보세요.

재아네 반 학생들이 태어난 계절

재아네 반 학생들이 태어난 계절별 학생 수

봄	○	○	○	○	○	○	○			
여름	○	○	○	○	○	○				
가을	○	○	○	○	○	○	○	○	○	○
겨울	○	○	○	○						
계절 / 학생 수(명)	1	2	3	4	5	6	7	8	9	10

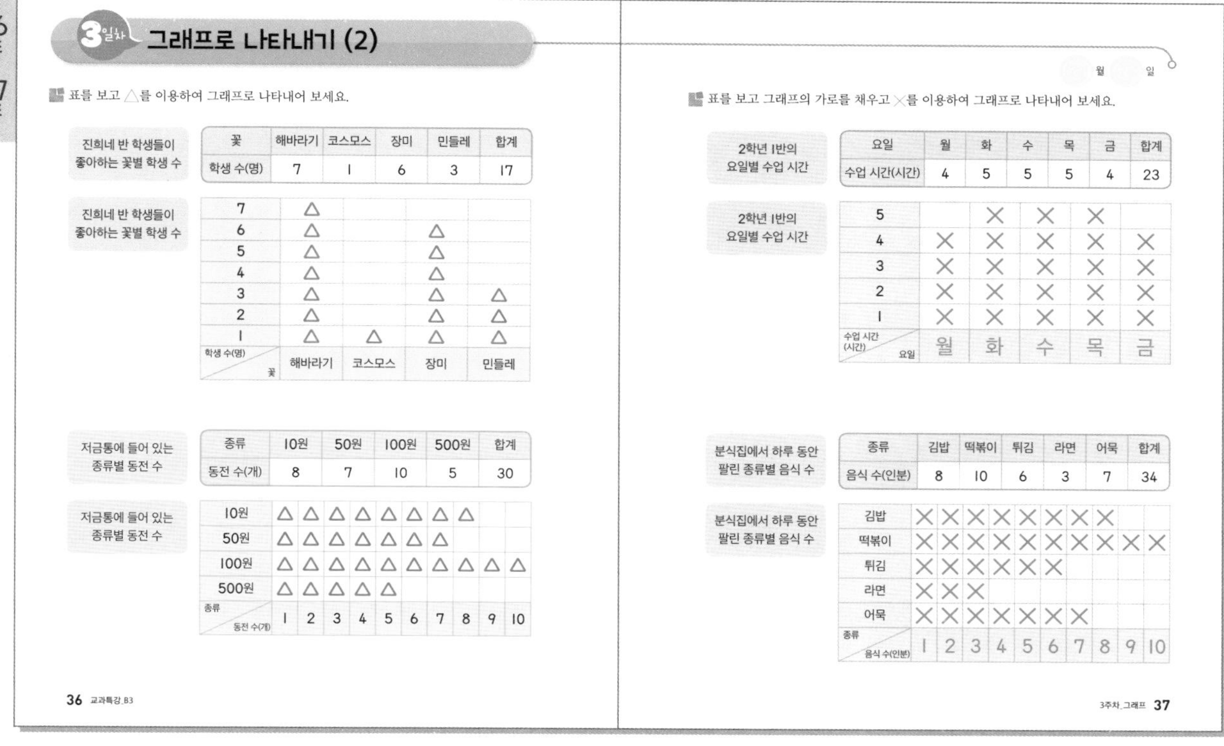

36쪽 · 37쪽

3일차 그래프로 나타내기 (2)

표를 보고 △를 이용하여 그래프로 나타내어 보세요.

진희네 반 학생들이 좋아하는 꽃별 학생 수

꽃	해바라기	코스모스	장미	민들레	합계
학생 수(명)	7	1	6	3	17

진희네 반 학생들이 좋아하는 꽃별 학생 수

7	△			
6	△		△	
5	△		△	
4	△		△	
3	△		△	△
2	△		△	△
1	△	△	△	△
학생 수(명) / 꽃	해바라기	코스모스	장미	민들레

저금통에 들어 있는 종류별 동전 수

종류	10원	50원	100원	500원	합계
동전 수(개)	8	7	10	5	30

저금통에 들어 있는 종류별 동전 수

10원	△	△	△	△	△	△	△	△		
50원	△	△	△	△	△	△	△			
100원	△	△	△	△	△	△	△	△	△	△
500원	△	△	△	△	△					
종류 / 동전 수(개)	1	2	3	4	5	6	7	8	9	10

월 일

표를 보고 그래프의 가로를 채우고 ×를 이용하여 그래프로 나타내어 보세요.

2학년 1반의 요일별 수업 시간

요일	월	화	수	목	금	합계
수업 시간(시간)	4	5	5	5	4	23

2학년 1반의 요일별 수업 시간

5		×	×	×	
4	×	×	×	×	×
3	×	×	×	×	×
2	×	×	×	×	×
1	×	×	×	×	×
수업 시간(시간) / 요일	월	화	수	목	금

분식집에서 하루 동안 팔린 종류별 음식 수

종류	김밥	떡볶이	튀김	라면	어묵	합계
음식 수(인분)	8	10	6	3	7	34

분식집에서 하루 동안 팔린 종류별 음식 수

김밥	×	×	×	×	×	×	×	×		
떡볶이	×	×	×	×	×	×	×	×	×	×
튀김	×	×	×	×	×	×				
라면	×	×	×							
어묵	×	×	×	×	×	×	×			
종류 / 음식 수(인분)	1	2	3	4	5	6	7	8	9	10

38쪽 · 39쪽

4일차 그래프 살펴보기

그래프를 보고 옳바른 말에 ○표, 틀린 말에 ×표 하세요.

12월 한 달 동안 날씨별 날 수

맑음	/	/	/	/	/	/	/	/	/	/	/	/
흐림	/	/	/	/	/	/	/	/	/	/	/	
비 옴	/	/										
눈 옴	/	/	/	/	/	/						
날씨 / 날 수(일)	1	2	3	4	5	6	7	8	9	10	11	12

맑은 날이 가장 많았습니다. (○)

~~눈 온 날~~이 가장 적었습니다. (×)
비 온 날

흐린 날은 모두 11일이었습니다. (○)

12월의 날 수는 31일입니다. (○)
$12+11+2+6=31$(일)

흐린 날은 비 온 날보다 10일 더 많았습니다. (×)
$11-2=9$(일)

월 일

그래프를 보고 빈칸에 알맞은 수 또는 말을 써넣으세요.

지후네 학교 음악실에 있는 종류별 국악기 수

6	○			
5	○			○
4	○			○
3	○		○	○
2	○		○	○
1	○	○	○	○
국악기 수(개) / 종류	소고	징	단소	장구

단소는 [3]개 있습니다.

4개보다 많은 국악기는 [소고]와 [장구]입니다.

가장 많은 국악기는 [소고]입니다.

가장 적은 국악기는 [징]입니다.

가장 많은 국악기는 가장 적은 국악기보다 [5]개 더 많습니다.
$6-1=5$(개)

40쪽·41쪽

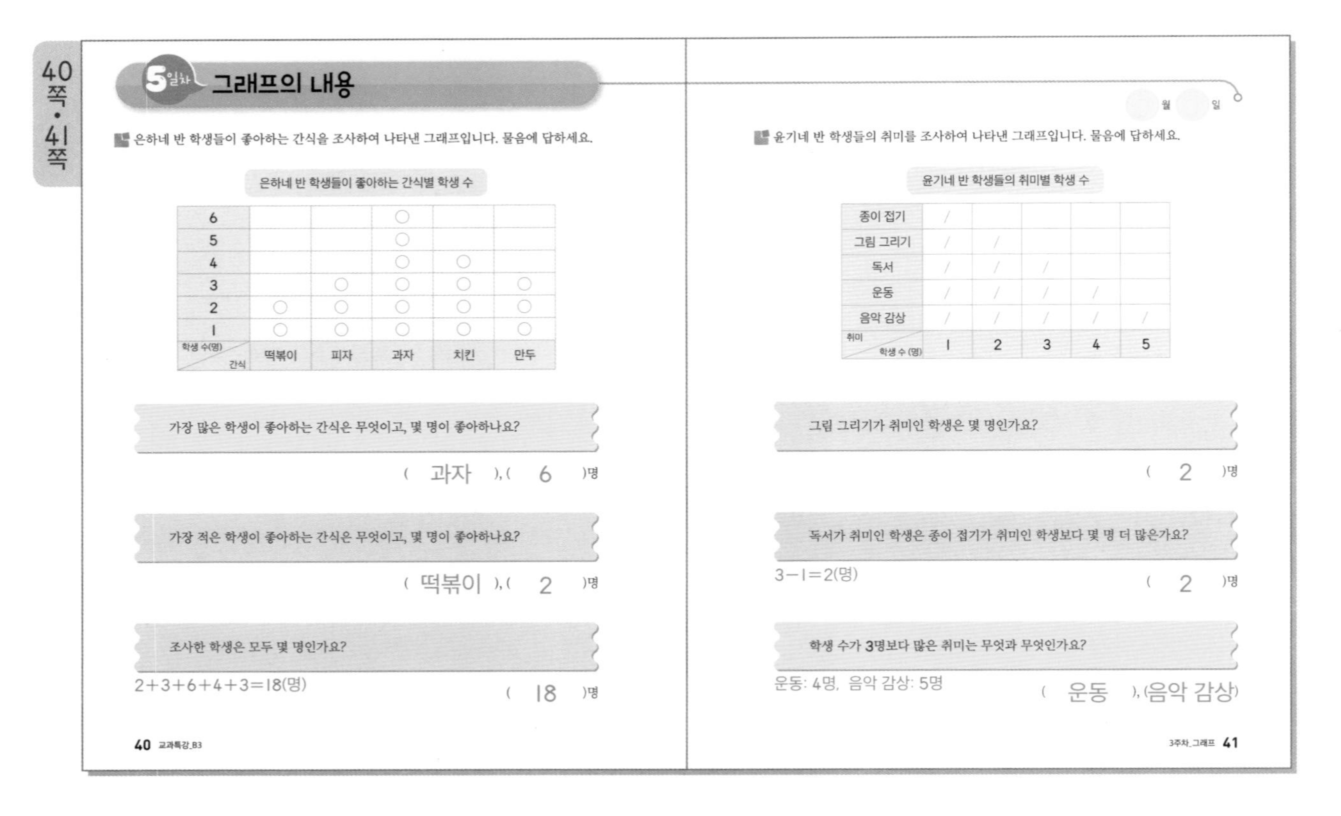

5일차 그래프의 내용

월 일

■ 은하네 반 학생들이 좋아하는 간식을 조사하여 나타낸 그래프입니다. 물음에 답하세요.

은하네 반 학생들이 좋아하는 간식별 학생 수

6			○		
5			○		
4			○	○	
3		○	○	○	○
2	○	○	○	○	○
1	○	○	○	○	○
학생 수(명) / 간식	떡볶이	피자	과자	치킨	만두

가장 많은 학생이 좋아하는 간식은 무엇이고, 몇 명이 좋아하나요?

(과자), (6)명

가장 적은 학생이 좋아하는 간식은 무엇이고, 몇 명이 좋아하나요?

(떡볶이), (2)명

조사한 학생은 모두 몇 명인가요?

2+3+6+4+3=18(명)

(18)명

40 교과특강_B3

■ 윤기네 반 학생들의 취미를 조사하여 나타낸 그래프입니다. 물음에 답하세요.

윤기네 반 학생들의 취미별 학생 수

종이 접기	/				
그림 그리기	/	/			
독서	/	/	/		
운동	/	/	/	/	
음악 감상	/	/	/	/	/
취미 / 학생 수(명)	1	2	3	4	5

그림 그리기가 취미인 학생은 몇 명인가요?

(2)명

독서가 취미인 학생은 종이 접기가 취미인 학생보다 몇 명 더 많은가요?

3−1=2(명)

(2)명

학생 수가 3명보다 많은 취미는 무엇과 무엇인가요?

운동: 4명, 음악 감상: 5명

(운동), (음악 감상)

3주차_그래프 41

42쪽

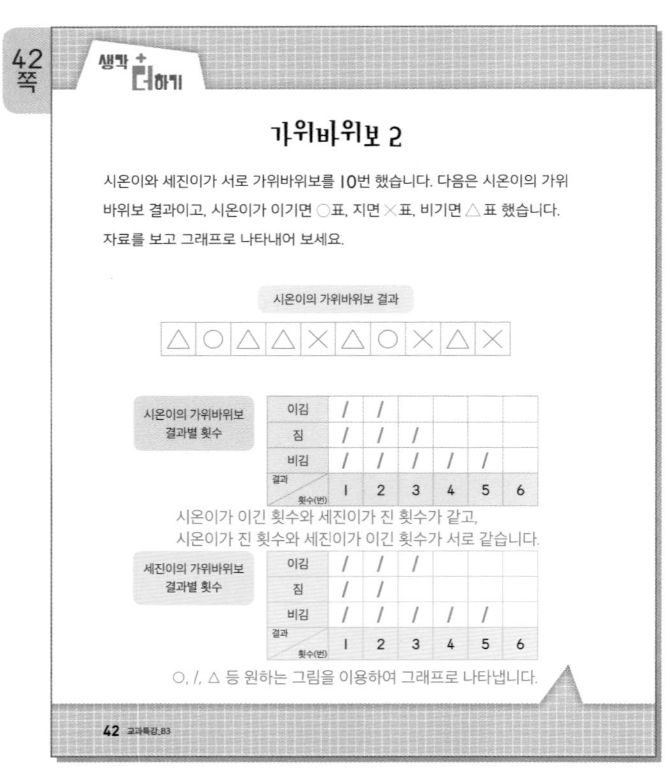

생각 더하기

가위바위보 2

시온이와 세진이가 서로 가위바위보를 10번 했습니다. 다음은 시온이의 가위바위보 결과이고, 시온이가 이기면 ○표, 지면 ×표, 비기면 △표 했습니다. 자료를 보고 그래프로 나타내어 보세요.

시온이의 가위바위보 결과

△	○	△	△	×	△	○	×	△	×

시온이의 가위바위보 결과별 횟수

이김	/	/				
짐	/	/	/			
비김	/	/	/	/	/	
결과 / 횟수(번)	1	2	3	4	5	6

시온이가 이긴 횟수와 세진이가 진 횟수가 같고, 시온이가 진 횟수와 세진이가 이긴 횟수가 서로 같습니다.

세진이의 가위바위보 결과별 횟수

이김	/	/	/			
짐	/	/				
비김	/	/	/	/	/	
결과 / 횟수(번)	1	2	3	4	5	6

○, /, △ 등 원하는 그림을 이용하여 그래프로 나타냅니다.

42 교과특강_B3

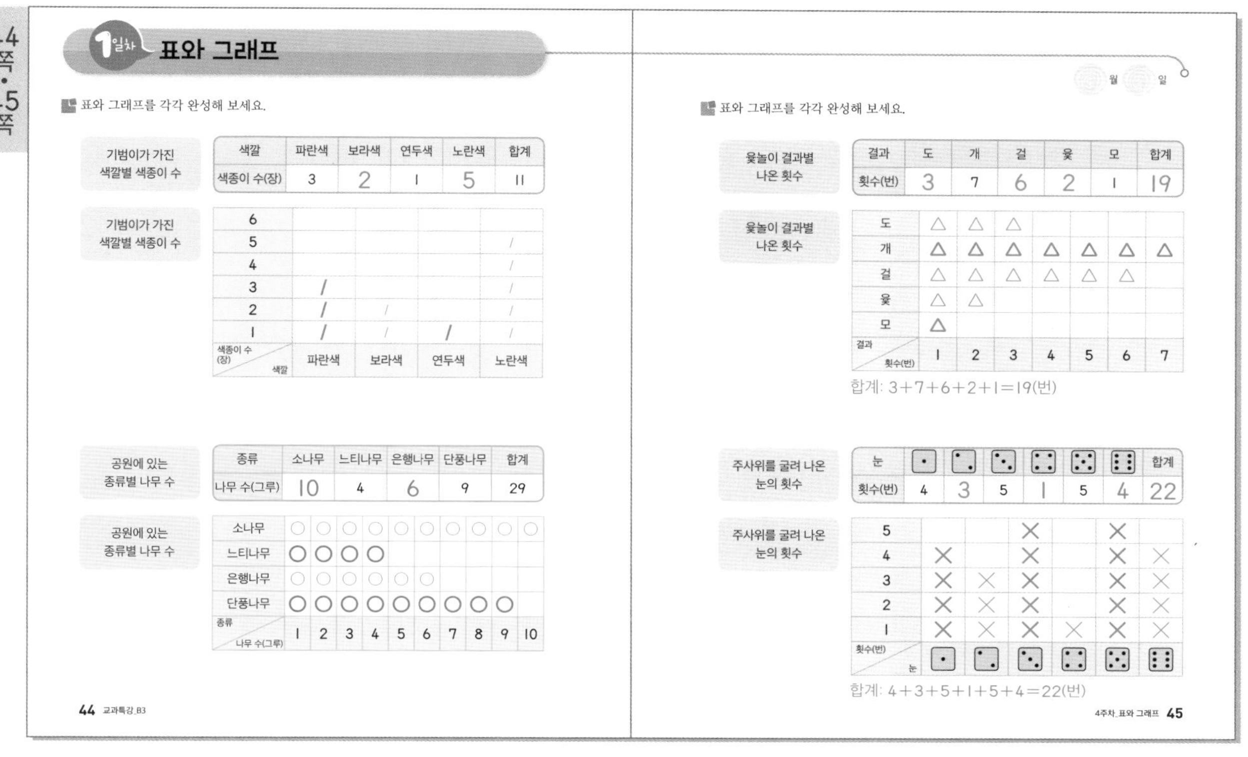

44쪽·45쪽

1일차 표와 그래프

표와 그래프를 각각 완성해 보세요.

기범이가 가진 색깔별 색종이 수

색깔	파란색	보라색	연두색	노란색	합계
색종이 수(장)	3	2	1	5	11

기범이가 가진 색깔별 색종이 수

6				
5				/
4				/
3	/			/
2	/	/		/
1	/	/	/	/
색종이 수(장) / 색깔	파란색	보라색	연두색	노란색

공원에 있는 종류별 나무 수

종류	소나무	느티나무	은행나무	단풍나무	합계
나무 수(그루)	10	4	6	9	29

공원에 있는 종류별 나무 수

소나무	○	○	○	○	○	○	○	○	○	○
느티나무	○	○	○	○						
은행나무	○	○	○	○	○	○				
단풍나무	○	○	○	○	○	○	○	○	○	
종류 / 나무 수(그루)	1	2	3	4	5	6	7	8	9	10

44 교과특강_B3

월 일

표와 그래프를 각각 완성해 보세요.

윷놀이 결과별 나온 횟수

결과	도	개	걸	윷	모	합계
횟수(번)	3	7	6	2	1	19

윷놀이 결과별 나온 횟수

도	△	△	△				
개	△	△	△	△	△	△	△
걸	△	△	△	△	△	△	
윷	△	△					
모	△						
결과 / 횟수(번)	1	2	3	4	5	6	7

합계: 3+7+6+2+1=19(번)

주사위를 굴려 나온 눈의 횟수

눈	⚀	⚁	⚂	⚃	⚄	⚅	합계
횟수(번)	4	3	5	1	5	4	22

주사위를 굴려 나온 눈의 횟수

5			×		×	
4	×		×		×	×
3	×	×	×		×	×
2	×	×	×		×	×
1	×	×	×	×	×	×
횟수(번) / 눈	⚀	⚁	⚂	⚃	⚄	⚅

합계: 4+3+5+1+5+4=22(번)

4주차_표와 그래프 45

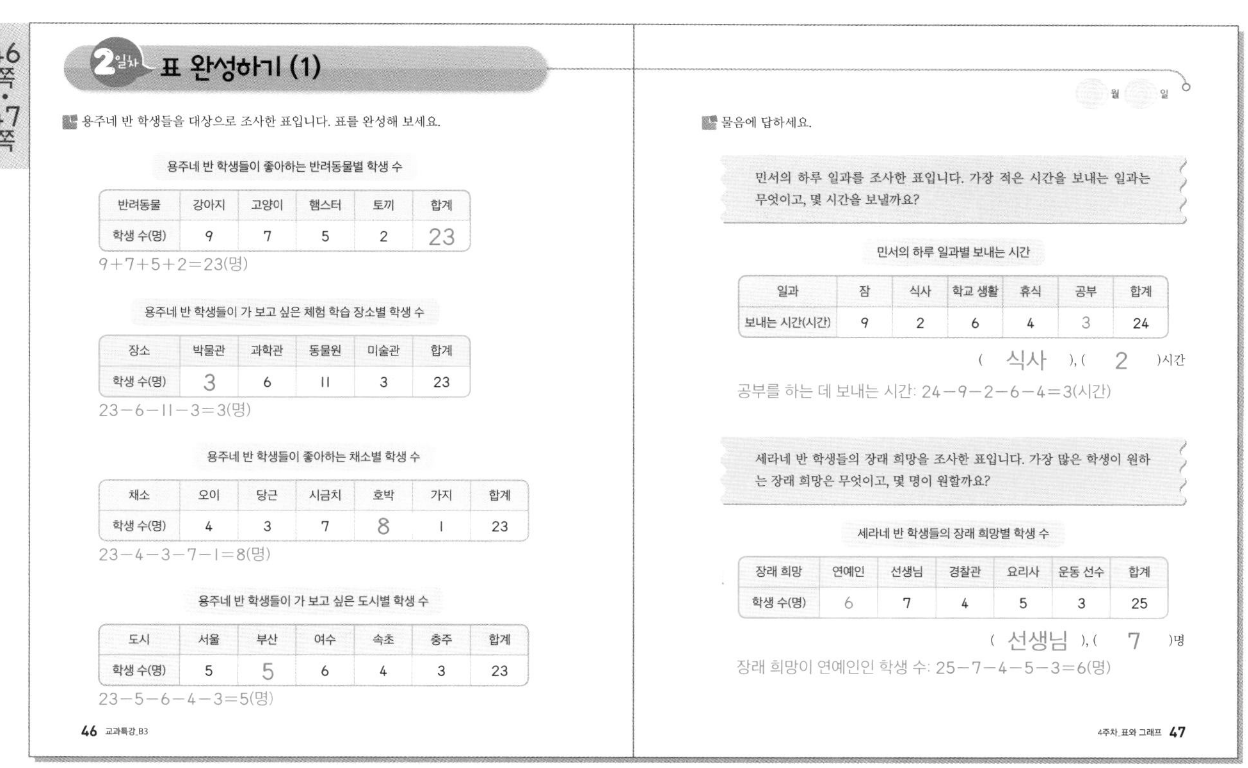

46쪽·47쪽

2일차 표 완성하기 (1)

용주네 반 학생들을 대상으로 조사한 표입니다. 표를 완성해 보세요.

용주네 반 학생들이 좋아하는 반려동물별 학생 수

반려동물	강아지	고양이	햄스터	토끼	합계
학생 수(명)	9	7	5	2	23

9+7+5+2=23(명)

용주네 반 학생들이 가 보고 싶은 체험 학습 장소별 학생 수

장소	박물관	과학관	동물원	미술관	합계
학생 수(명)	3	6	11	3	23

23−6−11−3=3(명)

용주네 반 학생들이 좋아하는 채소별 학생 수

채소	오이	당근	시금치	호박	가지	합계
학생 수(명)	4	3	7	8	1	23

23−4−3−7−1=8(명)

용주네 반 학생들이 가 보고 싶은 도시별 학생 수

도시	서울	부산	여수	속초	충주	합계
학생 수(명)	5	5	6	4	3	23

23−5−6−4−3=5(명)

46 교과특강_B3

월 일

물음에 답하세요.

민서의 하루 일과를 조사한 표입니다. 가장 적은 시간을 보내는 일과는 무엇이고, 몇 시간을 보낼까요?

민서의 하루 일과별 보내는 시간

일과	잠	식사	학교 생활	휴식	공부	합계
보내는 시간(시간)	9	2	6	4	3	24

(식사), (2)시간

공부를 하는 데 보내는 시간: 24−9−2−6−4=3(시간)

세라네 반 학생들의 장래 희망을 조사한 표입니다. 가장 많은 학생이 원하는 장래 희망은 무엇이고, 몇 명이 원할까요?

세라네 반 학생들의 장래 희망별 학생 수

장래 희망	연예인	선생님	경찰관	요리사	운동 선수	합계
학생 수(명)	6	7	4	5	3	25

(선생님), (7)명

장래 희망이 연예인인 학생 수: 25−7−4−5−3=6(명)

4주차_표와 그래프 47

정답

48쪽・49쪽

3일차 표 완성하기 (2)

■ 조건을 보고 표를 완성해 보세요.

1월에는 2월보다 책을 3권 더 많이 읽었습니다.

시유가 4개월 동안 읽은 월별 책 수

월	1월	2월	3월	4월	합계
책 수(권)	21	18	10	14	63

1월에 읽은 책은 18+3=21(권)입니다.
4개월 동안 읽은 책은 모두 21+18+10+14=63(권)입니다.

사과와 바나나를 좋아하는 학생 수가 같습니다.

은수네 반 학생들이 좋아하는 과일별 학생 수

과일	수박	사과	바나나	포도	메론	합계
학생 수(명)	8	5	5	5	7	30

사과와 바나나를 좋아하는 학생 수는 모두 30−8−5−7=10(명)이므로 사과와 바나나를 좋아하는 학생 수는 각각 5명입니다.

5반은 4반보다 안경을 쓴 학생이 1명 더 많습니다.

새별이네 학교 2학년의 반별 안경을 쓴 학생 수

반	1반	2반	3반	4반	5반	합계
학생 수(명)	9	5	12	7	8	41

4반과 5반에서 안경을 쓴 학생 수는 모두 41−9−5−12=15(명)입니다. 5반이 4반보다 1명 더 많으므로 5반은 8명, 4반은 7명입니다.

월 일

■ 물음에 답하세요.

동물원에 있는 동물을 조사한 표입니다. 동물원에 있는 호랑이와 사자의 수가 같다면 조사한 동물은 모두 몇 마리일까요?

동물원에 있는 종류별 동물 수

종류	호랑이	곰	사자	사슴	원숭이	합계
동물 수(마리)	4	6	4	5	9	28

(28)마리

사자가 4마리 있으므로 조사한 동물은 모두 4+6+4+5+9=28(마리)입니다.

농장에서 기르는 동물을 조사한 표입니다. 닭이 오리보다 1마리 더 많다면 가장 많은 동물은 무엇이고, 몇 마리 있을까요?

농장에 있는 종류별 동물 수

종류	돼지	소	닭	오리	염소	합계
동물 수(마리)	6	4	10	9	5	34

(닭), (10)마리

닭과 오리는 모두 34−6−4−5=19(마리) 있으므로 닭이 10마리, 오리가 9마리 있습니다.

50쪽・51쪽

4일차 그래프 완성하기

■ 조건을 보고 그래프를 완성해 보세요.

당근은 무보다 5개 더 많이 캤습니다.

인규가 밭에서 캔 종류별 채소 수

파	○	○	○	○				
당근	○	○	○	○	○	○	○	○
무	○	○	○					
양파	○	○	○	○	○	○		
종류 / 채소 수(개)	1	2	3	4	5	6	7	8

무를 3개 캤으므로 당근은 3+5=8(개) 캤습니다.

호석이는 골을 선아보다 많이 넣었고, 정우보다 적게 넣었습니다.

선아네 모둠 학생들이 골을 넣은 횟수

5		○			
4		○	○		
3	○	○	○		
2	○	○	○	○	
1	○	○	○	○	○
횟수(번) / 이름	선아	정우	호석	지연	민수

선아가 3번, 정우가 5번 넣었으므로 호석이는 4번 넣었습니다.

월 일

■ 조건을 보고 그래프를 완성해 보세요.

조사한 학생은 모두 16명입니다.

재우네 반 학생들이 해 보고 싶은 민속 놀이별 학생 수

6		△		
5		△		△
4		△		△
3	△	△		△
2	△	△	△	△
1	△	△	△	△
학생 수(명) / 민속 놀이	제기차기	연날리기	윷놀이	팽이치기

16−3−6−2=5(명)

봉사활동을 가장 많이 한 학생은 가장 적게 한 학생보다 8번 더 많이 했습니다.

민희네 모둠 학생들이 한 달 동안 봉사활동을 한 날 수

민희	/	/	/	/						
보미	/	/	/	/	/	/				
준성	/	/	/							
하영	/	/								
대한	/	/	/	/	/	/	/	/	/	/
이름 / 날 수(일)	1	2	3	4	5	6	7	8	9	10

가장 많이 한 학생은 대한이고, 10번 했습니다.
가장 적게 한 학생은 10−8=2(번) 했고, 하영입니다.

52쪽·53쪽

5일차 찢어진 그래프

1 온유네 반 학생들이 배우고 있는 운동별 학생 수를 나타낸 그래프인데 윗부분이 찢어졌습니다. 물음에 답하세요.

온유네 반 학생들이 배우고 있는 운동별 학생 수

5		○			
4		○			○
3	○	○		○	○
2	○	○	○	○	○
1	○	○	○	○	○
학생 수(명) / 운동	축구	태권도	수영	농구	줄넘기

배우는 학생 수가 3명보다 많은 운동을 모두 써 보세요.

(태권도), (줄넘기)

줄넘기는 4명, 태권도는 적어도 5명이 배웁니다.

조사한 학생 수가 모두 20명이라면 태권도를 배우는 학생은 몇 명인가요?

$20-3-2-3-4=8$(명) (8)명

2 석우네 모둠 학생들이 일주일 동안 받은 칭찬 딱지의 수를 나타낸 그래프인데 오른쪽 부분이 찢어졌습니다. 물음에 답하세요.

석우네 모둠 학생들이 일주일 동안 받은 칭찬 딱지의 수

석우	☆	☆	☆	☆	☆	☆	☆
민성	☆	☆	☆	☆	☆		
유나	☆	☆	☆	☆	☆	☆	
예원	☆	☆	☆				
이름 / 딱지 수(개)	1	2	3	4	5	6	7

석우는 칭찬 딱지를 가장 적게 받은 학생보다 6개 더 많이 받았습니다. 석우가 받은 칭찬 딱지는 몇 개인가요?

가장 적게 받은 학생은 예원이고 3개 받았습니다. 따라서 석우는 $3+6=9$(개) 받았습니다. (9)개

석우네 모둠 학생들이 일주일 동안 받은 칭찬 딱지는 모두 몇 개인가요?

$9+5+6+3=23$(개) (23)개

54쪽

생각 더하기

체험 학습 장소

훈이네 반 학생들이 가 보고 싶은 체험 학습 장소를 조사한 표입니다. 동물원에 가 보고 싶은 학생과 과학관에 가 보고 싶은 학생 수가 같다고 할 때 표를 완성하고, 그래프로 나타내어 보세요.

훈이네 반 학생들이 가 보고 싶은 체험 학습 장소별 학생 수

장소	박물관	동물원	과학관	식물원	합계
학생 수(명)	3	8	8	6	25

동물원과 과학관에 가 보고 싶은 학생을 더하면 $25-3-6=16$(명)입니다. 따라서 가 보고 싶은 학생 수는 동물원 8명, 과학관 8명입니다.

훈이네 반 학생들이 가 보고 싶은 체험 학습 장소별 학생 수

8		○	○	
7		○	○	
6		○	○	○
5		○	○	○
4		○	○	○
3	○	○	○	○
2	○	○	○	○
1	○	○	○	○
학생 수(명) / 장소	박물관	동물원	과학관	식물원

○, /, △ 등 원하는 그림을 이용하여 그래프로 나타냅니다.

정답

링크: 2가지 조사

56쪽·57쪽

LINK 1 표와 그래프 만들기

경수와 태희가 10월 한 달 동안 한 운동입니다. 자료를 보고 표로 나타내어 보세요. 운동을 하지 않은 날은 ×표 했습니다.

경수가 10월 한 달 동안 한 운동

일	월	화	수	목	금	토
	1	2	3	4	5	6
7 ×	8	9	10	11	12	13
14 ×	15	16	17	18	19	20
21 ×	22	23	24	25	26	27
28 ×	29	30	31			

태희가 10월 한 달 동안 한 운동

일	월	화	수	목	금	토
	1	2 ×	3	4	5	6
7	8	9 ×	10	11	12	13
14	15	16 ×	17	18	19	20
21	22	23 ×	24	25	26	27
28	29	30 ×	31			

경수가 10월 한 달 동안 한 운동별 날 수

운동	날 수(일)
태권도	9
배드민턴	10
줄넘기	4
달리기	4
합계	27

태희가 10월 한 달 동안 한 운동별 날 수

운동	날 수(일)
태권도	8
배드민턴	4
줄넘기	9
달리기	5
합계	26

월 일

왼쪽 자료와 표를 보고 ○를 이용하여 그래프로 나타내어 보세요.

경수가 10월 한 달 동안 한 운동별 날 수

태권도	○	○	○	○	○	○	○	○	○	
배드민턴	○	○	○	○	○	○	○	○	○	○
줄넘기	○	○	○	○						
달리기	○	○	○	○						
운동 / 날 수(일)	1	2	3	4	5	6	7	8	9	10

태희가 10월 한 달 동안 한 운동별 날 수

태권도	○	○	○	○	○	○	○	○		
배드민턴	○	○	○	○						
줄넘기	○	○	○	○	○	○	○	○	○	
달리기	○	○	○	○	○					
운동 / 날 수(일)	1	2	3	4	5	6	7	8	9	10

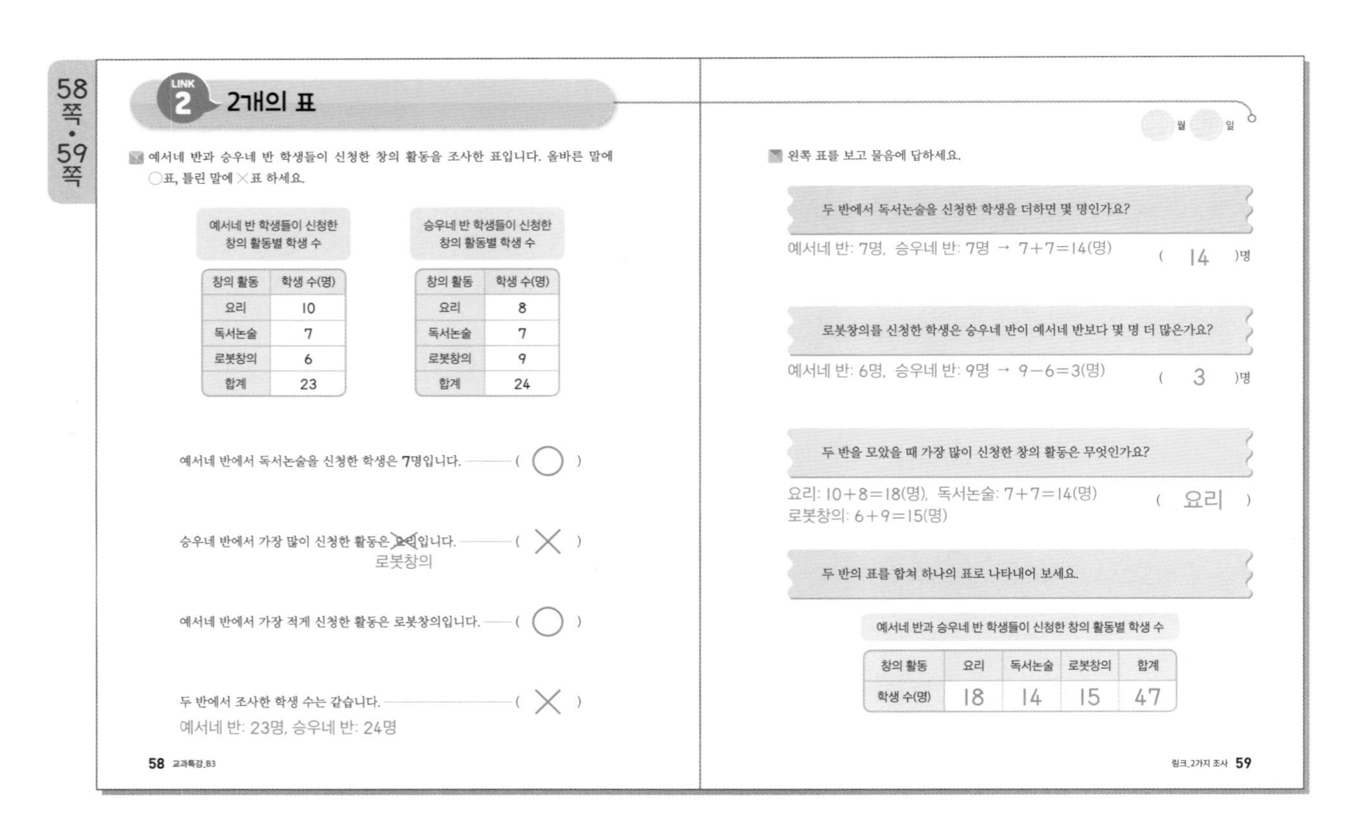

58쪽·59쪽

LINK 2 2개의 표

예서네 반과 승우네 반 학생들이 신청한 창의 활동을 조사한 표입니다. 올바른 말에 ○표, 틀린 말에 ×표 하세요.

예서네 반 학생들이 신청한 창의 활동별 학생 수

창의 활동	학생 수(명)
요리	10
독서논술	7
로봇창의	6
합계	23

승우네 반 학생들이 신청한 창의 활동별 학생 수

창의 활동	학생 수(명)
요리	8
독서논술	7
로봇창의	9
합계	24

예서네 반에서 독서논술을 신청한 학생은 7명입니다. (○)

승우네 반에서 가장 많이 신청한 활동은 요리입니다. (×)
로봇창의

예서네 반에서 가장 적게 신청한 활동은 로봇창의입니다. (○)

두 반에서 조사한 학생 수는 같습니다. (×)
예서네 반: 23명, 승우네 반: 24명

월 일

왼쪽 표를 보고 물음에 답하세요.

두 반에서 독서논술을 신청한 학생을 더하면 몇 명인가요?

예서네 반: 7명, 승우네 반: 7명 → 7+7=14(명) (14)명

로봇창의를 신청한 학생은 승우네 반이 예서네 반보다 몇 명 더 많은가요?

예서네 반: 6명, 승우네 반: 9명 → 9−6=3(명) (3)명

두 반을 모았을 때 가장 많이 신청한 창의 활동은 무엇인가요?

요리: 10+8=18(명), 독서논술: 7+7=14(명)
로봇창의: 6+9=15(명) (요리)

두 반의 표를 합쳐 하나의 표로 나타내어 보세요.

예서네 반과 승우네 반 학생들이 신청한 창의 활동별 학생 수

창의 활동	요리	독서논술	로봇창의	합계
학생 수(명)	18	14	15	47

60쪽 · 61쪽

LINK 3 2개의 그래프

시온이네 반 학생들이 좋아하는 반려동물을 조사하여 남학생과 여학생으로 나누어 나타낸 그래프입니다. 물음에 답하세요.

시온이네 반 남학생들이 좋아하는 반려동물별 학생 수

6	○		
5	○		
4	○		
3	○		○
2	○	○	○
1	○	○	○
학생 수(명) / 반려동물	강아지	고양이	햄스터

시온이네 반 여학생들이 좋아하는 반려동물별 학생 수

6			
5		○	
4	○	○	
3	○	○	
2	○	○	○
1	○	○	○
학생 수(명) / 반려동물	강아지	고양이	햄스터

고양이를 좋아하는 남학생은 3명입니다. (×)
2명

햄스터를 좋아하는 여학생은 2명입니다. (○)

여학생이 가장 좋아하는 반려동물은 강아지입니다. (×)
고양이

조사한 남학생 수와 여학생 수가 같습니다. (○)
남학생: 11명, 여학생: 11명

월 일

왼쪽 그래프를 보고 물음에 답하세요.

강아지를 좋아하는 학생은 남학생이 여학생보다 몇 명 더 많은가요?

남학생: 6명, 여학생: 4명 → $6-4=2$(명)

(2)명

시온이네 반에서 가장 적은 학생들이 좋아하는 반려동물은 무엇인가요?

강아지: $6+4=10$(명), 고양이: $2+5=7$(명)
햄스터: $3+2=5$(명)

(햄스터)

두 그래프를 합쳐 ○를 이용하여 하나의 그래프로 나타내어 보세요.

시온이네 반 학생들이 좋아하는 반려동물별 학생 수

강아지	○	○	○	○	○	○	○	○	○	○
고양이	○	○	○	○	○	○	○			
햄스터	○	○	○	○	○					
반려동물 / 학생 수(명)	1	2	3	4	5	6	7	8	9	10

정답

형성평가

64쪽·65쪽

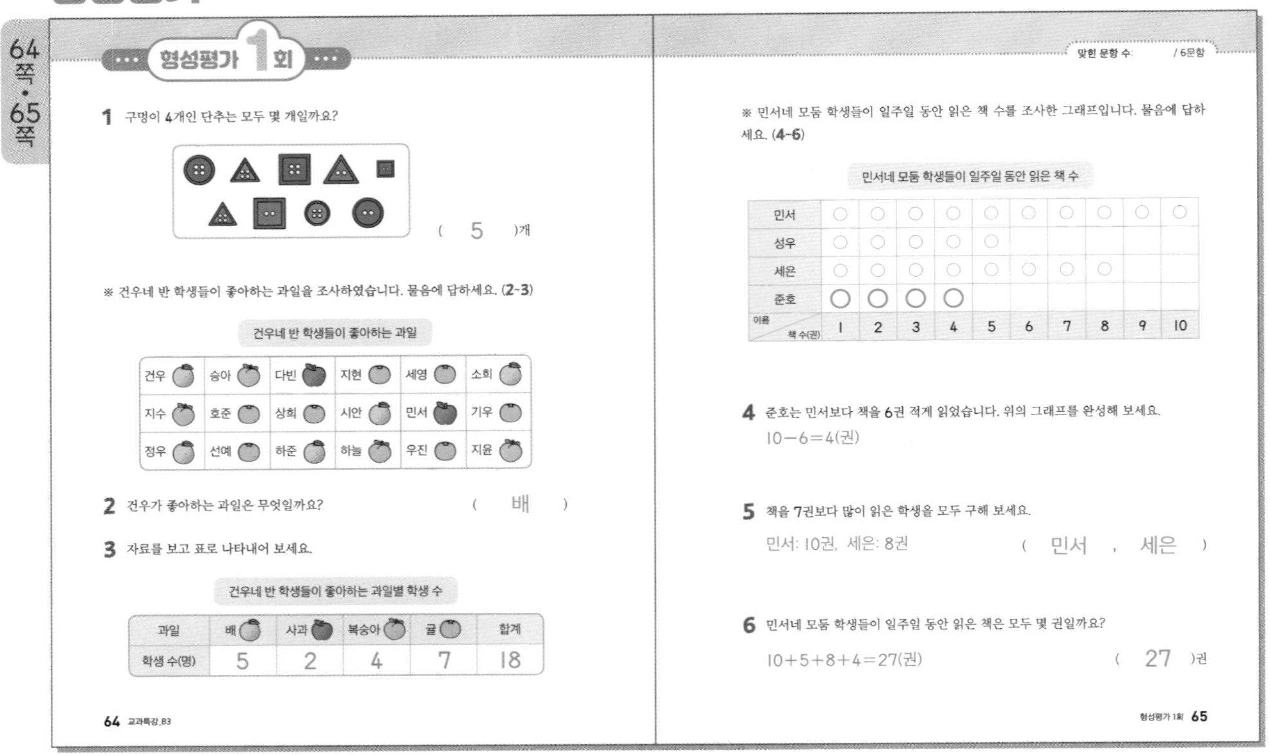

형성평가 1회

맞힌 문항 수: / 6문항

1 구멍이 4개인 단추는 모두 몇 개일까요?

(5)개

※ 건우네 반 학생들이 좋아하는 과일을 조사하였습니다. 물음에 답하세요. (2-3)

건우네 반 학생들이 좋아하는 과일

건우	승아	다빈	지현	세영	소희
지수	호준	상희	시안	민서	기우
정우	선예	하준	하늘	우진	지윤

2 건우가 좋아하는 과일은 무엇일까요? (배)

3 자료를 보고 표로 나타내어 보세요.

건우네 반 학생들이 좋아하는 과일별 학생 수

과일	배	사과	복숭아	귤	합계
학생 수(명)	5	2	4	7	18

64 교과특강_B3

※ 민서네 모둠 학생들이 일주일 동안 읽은 책 수를 조사한 그래프입니다. 물음에 답하세요. (4-6)

민서네 모둠 학생들이 일주일 동안 읽은 책 수

민서	○	○	○	○	○	○	○	○	○	○
성우	○	○	○	○	○					
세은	○	○	○	○	○	○	○	○		
준호	○	○	○	○						
이름 / 책 수(권)	1	2	3	4	5	6	7	8	9	10

4 준호는 민서보다 책을 6권 적게 읽었습니다. 위의 그래프를 완성해 보세요.

$10-6=4$(권)

5 책을 7권보다 많이 읽은 학생을 모두 구해 보세요.

민서: 10권, 세은: 8권 (민서 , 세은)

6 민서네 모둠 학생들이 일주일 동안 읽은 책은 모두 몇 권일까요?

$10+5+8+4=27$(권) (27)권

형성평가 1회 65

66쪽·67쪽

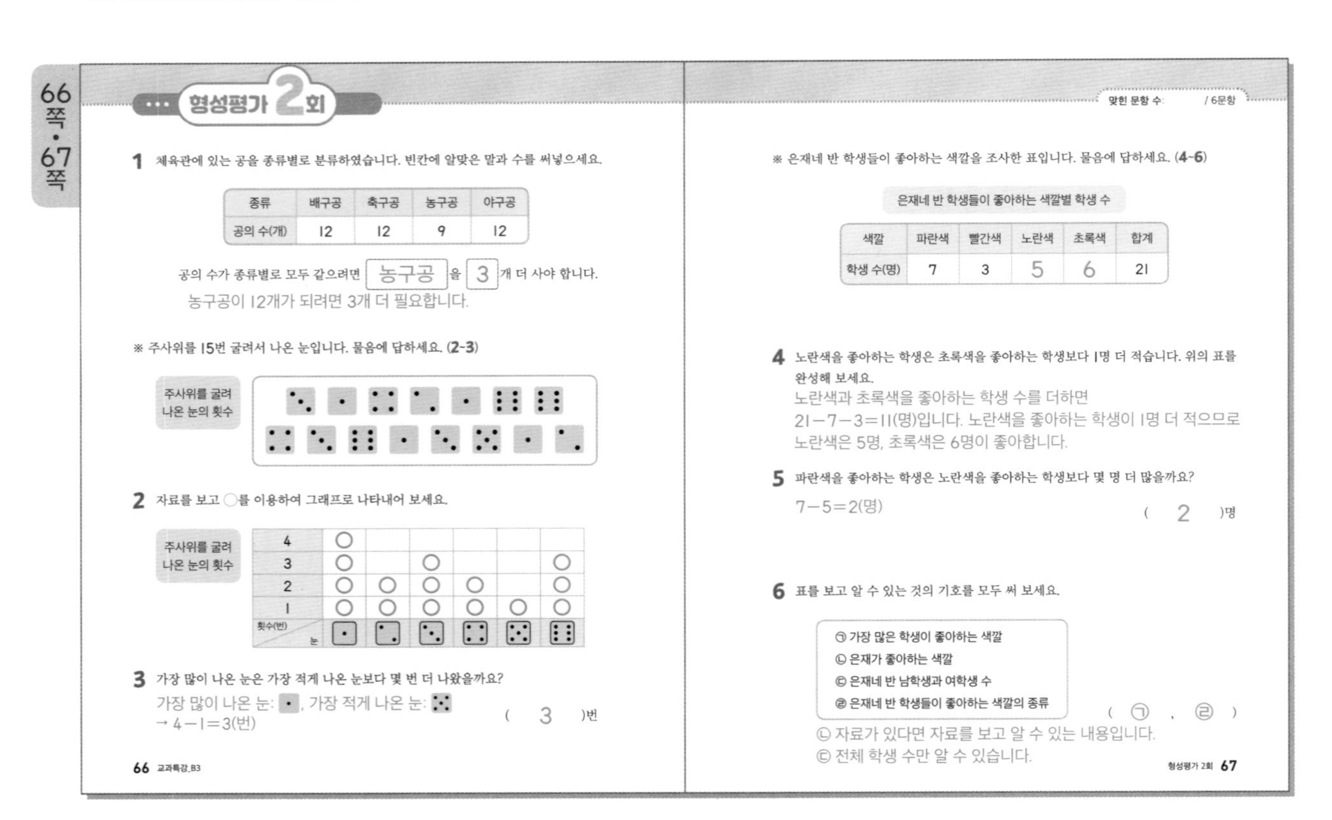

형성평가 2회

맞힌 문항 수: / 6문항

1 체육관에 있는 공을 종류별로 분류하였습니다. 빈칸에 알맞은 말과 수를 써넣으세요.

종류	배구공	축구공	농구공	야구공
공의 수(개)	12	12	9	12

공의 수가 종류별로 모두 같으려면 농구공 을 3 개 더 사야 합니다.

농구공이 12개가 되려면 3개 더 필요합니다.

※ 주사위를 15번 굴려서 나온 눈입니다. 물음에 답하세요. (2-3)

주사위를 굴려 나온 눈의 횟수

2 자료를 보고 ○를 이용하여 그래프로 나타내어 보세요.

주사위를 굴려 나온 눈의 횟수

4	○					
3	○		○			○
2	○	○	○	○		○
1	○	○	○	○	○	○
횟수(번) / 눈	1	2	3	4	5	6

3 가장 많이 나온 눈은 가장 적게 나온 눈보다 몇 번 더 나왔을까요?

가장 많이 나온 눈: 1, 가장 적게 나온 눈: 5

→ $4-1=3$(번) (3)번

66 교과특강_B3

※ 은재네 반 학생들이 좋아하는 색깔을 조사한 표입니다. 물음에 답하세요. (4-6)

은재네 반 학생들이 좋아하는 색깔별 학생 수

색깔	파란색	빨간색	노란색	초록색	합계
학생 수(명)	7	3	5	6	21

4 노란색을 좋아하는 학생은 초록색을 좋아하는 학생보다 1명 더 적습니다. 위의 표를 완성해 보세요.

노란색과 초록색을 좋아하는 학생 수를 더하면
$21-7-3=11$(명)입니다. 노란색을 좋아하는 학생이 1명 더 적으므로
노란색은 5명, 초록색은 6명이 좋아합니다.

5 파란색을 좋아하는 학생은 노란색을 좋아하는 학생보다 몇 명 더 많을까요?

$7-5=2$(명) (2)명

6 표를 보고 알 수 있는 것의 기호를 모두 써 보세요.

㉠ 가장 많은 학생이 좋아하는 색깔
㉡ 은재가 좋아하는 색깔
㉢ 은재네 반 남학생과 여학생 수
㉣ 은재네 반 학생들이 좋아하는 색깔의 종류

(㉠ , ㉣)

㉡ 자료가 있다면 자료를 보고 알 수 있는 내용입니다.
㉢ 전체 학생 수만 알 수 있습니다.

형성평가 2회 67

초등 수학 핵심파트 집중 완성 교과특강

“교과수학을 완성합니다.”

수와 도형의 배열에서 규칙을 찾아
사고력을 기릅니다.

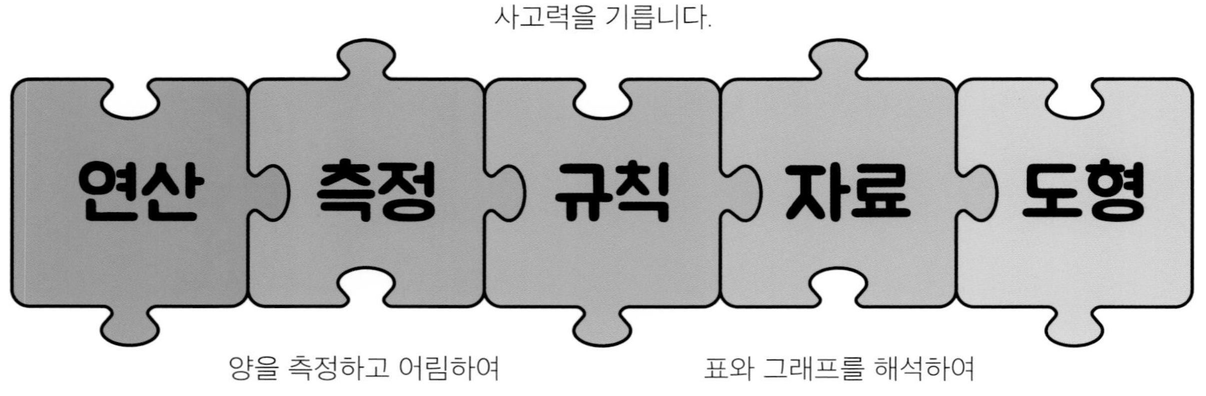

양을 측정하고 어림하여
실생활의 수 감각을 기릅니다.

표와 그래프를 해석하여
추론능력을 기릅니다.